# Poissons Prédictions Et Rituels 2024

## Astrologues

## Alina A. Rubi et Angeline Rubi

*Publication indépendante*

*Copyright © 2024*

*Astrologues : Alina A. Rubi et Angeline Rubi*

*Courriel : rubiediciones29@gmail.com*

*Éditeur : Angeline A. Rubi*

*rubiediciones29@gmail.com*

*Prévisions générales 2024* .......................................................... 9

**Poisson** .................................................................................. 15

**Horoscope général des Poissons** ............................................ 21

     ***Amour*** ..........................................................................24

     ***L'économie*** ..................................................................26

     ***Famille*** ........................................................................29

     ***Santé des poissons*** .......................................................30

**Dates importantes** ................................................................. 30

**Introduction. Rituels** ............................................................. 32

**Rituels de janvier** .................................................................. 34

*Les meilleurs rituels pour l'argent* ........................................... 35

*Rituel pour la chance dans les jeux de hasard* .......................... 35

*Gagner de l'argent avec le Bol de Lune. Pleine Lune* ................ 36

*Les meilleurs rituels pour l'amour* ........................................... 37

*Sortilège pour adoucir un être cher* .......................................... 38

*Rituel pour attirer l'amour* ....................................................... 39

*Pour attirer l'amour impossible* ................................................ 40

*Les meilleurs rituels pour la santé* ........................................... 42

*Sortilège pour protéger la santé de nos animaux de compagnie* ........... 42

*Sort d'amélioration instantanée* ............................................... 43

*Le charme de l'amincissement* .................................................. 44

*Rituels pour le mois de février* ................................................. 45

*Les meilleurs rituels pour gagner de l'argent* ........................... 46

*Rituel pour augmenter la clientèle. Croissant de lune gibbeux* ........... 46

*Sort de prospérité* .................................................................... 47

*Les meilleurs rituels pour l'amour* ........................................... 48

*Rituel de consolidation de l'amour*......................................................49

*Rituel pour sauver un amour en déclin*................................................50

*Les meilleurs rituels pour la santé* .....................................................51

*Rituel de santé* .....................................................................................52

*Rituel de santé pendant la phase du croissant de lune* .........................52

*Rituels pour le mois de mars* ...............................................................54

*Les meilleurs rituels pour gagner de l'argent* .....................................55

*Sorts pour réussir les entretiens d'embauche.* .....................................55

*Rituel permettant de s'assurer que l'argent est toujours présent dans le foyer.* ......................................................................................................56

*Sortilège gitan pour la prospérité* .......................................................56

*Les meilleurs rituels pour l'amour* ......................................................57

*Rituel pour éviter les problèmes relationnels* ......................................57

*Sort de dépression* ...............................................................................59

*Sort de récupération* ............................................................................60

*Rituels pour le mois d'avril* .................................................................61

*Les meilleurs rituels pour l'argent* ......................................................62

*Sort "Ouvrir les voies de l'abondance".* ..............................................62

*Les meilleurs rituels pour l'amour* ......................................................63

*L'amour marocain* ...............................................................................63

*Sortilège pour adoucir un être cher* ....................................................64

*Les meilleurs rituels pour la santé* .....................................................65

*Sort de santé romain* ...........................................................................65

*Rituels pour le mois de mai* .................................................................66

*Aimant à argent Crescent* ....................................................................67

*Sort pour nettoyer la maison ou l'entreprise de toute négativité.* ..........68

*Les meilleurs rituels pour l'amour* ......................................................69

*Des liens d'amour indéfectibles* ...........................................................69

*Rituel parce que je n'aime que toi* ............................................................ 70

*Thé pour oublier un amour* ...................................................................... 71

*Rituel des ongles pour l'amour* ................................................................ 72

*Les meilleurs rituels pour la santé* .......................................................... 72

*Rituels pour le mois de juin* .................................................................... 75

*Les meilleurs rituels pour l'argent* .......................................................... 76

*Sortilège gitan pour la prospérité* ............................................................ 76

*Fumigation magique pour améliorer l'économie domestique.* ............. 77

*Essence miraculeuse pour attirer le travail.* ........................................... 77

*Sort pour se laver les mains et attirer l'argent.* ...................................... 78

*Les meilleurs rituels pour l'amour* .......................................................... 78

*Rituel pour prévenir la casse* ................................................................... 79

*Sortilège érotique* ..................................................................................... 81

*Rituel de l'œuf pour l'attraction* .............................................................. 82

*Sort d'amour africain* ............................................................................... 83

*Les meilleurs rituels pour la santé* .......................................................... 84

*Le charme de l'amincissement* ................................................................ 84

*Sortilège de maintien de la santé* ............................................................ 85

*Bain protecteur avant l'opération* ........................................................... 87

*Rituels de juillet* ....................................................................................... 89

*Les meilleurs rituels pour l'argent* .......................................................... 90

*Nettoyer pour obtenir des clients.* ........................................................... 90

*Elle attire l'abondance matérielle. Croissant de lune* ............................ 91

*Le sortilège permet de créer un bouclier économique pour votre entreprise ou votre commerce.* ................................................................. 92

*Les meilleurs rituels pour l'amour* .......................................................... 93

*Sort de l'argent exprimé.* ......................................................................... 93

*Salle de bain pour attirer les gains économiques* ................................... 94

*Les meilleurs rituels pour la santé* ................................................. 95

*Épeler la douleur chronique.* ....................................................... 95

*Sort d'amélioration instantanée* ................................................... 97

*Rituels pour le mois d'août* ......................................................... 98

*Les meilleurs rituels pour l'argent* ............................................... 99

*Miroir magique pour l'argent. Pleine lune* .................................... 99

*Les meilleurs rituels pour l'amour* .............................................. 101

*Les meilleurs rituels pour l'amour* .............................................. 101

*Sort pour que quelqu'un pense à vous* ....................................... 102

*Sort qui vous transforme en aimant* ........................................... 103

*Les meilleurs rituels pour la santé* ............................................. 103

*Bain rituel aux herbes amères* ................................................... 104

*Rituels pour le mois de septembre* ............................................. 105

*Les meilleurs rituels pour l'argent* ............................................. 106

*Rituel pour gagner de l'argent en trois jours* .............................. 106

*L'argent avec l'éléphant blanc* .................................................. 107

*Rituel pour gagner à la loterie.* ................................................. 108

*Les meilleurs rituels pour l'amour* .............................................. 109

*Rituel pour éliminer les litiges* ................................................... 109

*Rituel d'amour* ........................................................................ 110

*Les meilleurs rituels pour la santé* ............................................. 111

*Bain thérapeutique* ................................................................... 111

*Bain protecteur avant l'intervention chirurgicale* ......................... 112

*Rituels pour le mois d'octobre* .................................................. 114

*Les meilleurs rituels pour l'argent* ............................................. 115

*Le sucre et l'eau de mer sont des remèdes pour la prospérité.* ..... 115

*La cannelle* ............................................................................. 116

*Rituel pour attirer l'argent instantanément.* ................................ 116

*Les meilleurs rituels pour l'amour* ............................................... 117

*Sortilège pour oublier un ancien amour* ................................. 118

*Sort pour attirer l'âme sœur* ...................................................... 119

*Rituel pour attirer l'amour* ......................................................... 120

*Les meilleurs rituels pour la santé* ........................................... 121

*Rituel vitalité* .................................................................................. 122

*Rituels pour le mois de novembre* ............................................. 123

*Les meilleurs rituels pour gagner de l'argent* ....................... 124

*Gagner de l'argent avec la pierre* ............................................. 124

*Les meilleurs rituels pour l'amour* ........................................... 125

*Le miroir magique de l'amour* .................................................... 125

*Sort pour augmenter la passion* ............................................... 126

*Les meilleurs rituels pour la santé* ........................................... 127

*Rituel pour éliminer la douleur* ................................................ 128

*Rituel de relaxation* ..................................................................... 128

*Rituel pour une vieillesse en bonne santé* .............................. 129

*Sort pour guérir les personnes gravement malades* ............ 131

*Rituels de décembre* ...................................................................... 132

*Les meilleurs rituels pour l'argent* ........................................... 133

*Rituel hindou pour attirer l'argent.* .......................................... 133

*Argent et abondance pour tous les membres de la famille.* ..... 134

*Les meilleurs rituels quotidiens pour l'amour* ...................... 135

*Rituel pour transformer l'amitié en amour* ............................ 136

*Sort d'amour germanique* ........................................................... 137

*Sort de vengeance* .......................................................................... 138

*Les meilleurs rituels pour la santé* ........................................... 139

*Grille de santé cristalline* ........................................................... 139

*A propos de l'auteur* ...................................................................... 143

## *Prévisions générales 2024*

*L'année 2024 est arrivée ! Une année astrologiquement significative. Nous serons témoins d'événements qui auront un impact sur le monde entier, une période de transformation collective est à nos portes. Une période de réflexion, d'abstraction, d'évaluation et de séparation de ce qui ne fonctionne plus.*

*Nous assisterons à une restructuration des systèmes politiques qui entraînera des changements dans l'équilibre des pouvoirs, la manifestation de nouvelles tendances politiques et des transformations dans le mode de fonctionnement des autorités et des gouvernements.*

*L'énergie de Pluton apportera des changements significatifs à l'économie, de nouvelles industries et entreprises se développeront, mais le déclin des entreprises établies se poursuivra. C'est le début d'un nouveau cycle économique avec un grand potentiel d'innovation.*

*Pluton continuera à exercer des effets catastrophiques sur la structure sociale des pays. Toutes les questions relatives au pouvoir, au contrôle et à l'autorité feront la une des journaux cette année. Cela conduira à la création de nouvelles structures de pouvoir. C'est le début d'une ère avec plus de valeurs et de conscience sociale.*

*Un changement dans les forces du pouvoir mondial est à venir, car le retour de Pluton signale une période de métamorphose pour les États-Unis. Cela implique un changement dans l'équilibre des pouvoirs entre tous les pays du monde, et nous assisterons à l'émergence de nouveaux acteurs mondiaux et à la transformation des relations mondiales.*

*Le 20 janvier 2024, à 19 :51 (EST), Pluton transite du Capricorne au Verseau. Il ne s'agit pas d'un transit définitif car Pluton reviendra dans le signe du Capricorne au moment des élections américaines et retournera en Verseau le 19 novembre 2024. Ces élections seront inoubliables car le séjour de Pluton en Capricorne du 1er septembre au 19 novembre coïncide avec elles. Ce transit augmente l'insécurité, la méfiance, les dilemmes et les turbulences dans l'environnement politique.*

*Au cours de la période précédant les élections, le pays sera confronté à de graves et profondes questions relatives à l'autorité et à la démocratie. Le résultat de ces élections sera un signe planétaire du changement et de l'évolution nécessaires. Il sera la voix des enjeux de la planète Pluton en transit.*

*Lorsque Pluton transitera le signe du Verseau, d'importants changements mondiaux commenceront à se produire. Ce transit entraînera une analyse profonde de la manière dont l'autorité, les gouvernements et les méthodes sociales sont traités dans le monde entier. Toutes les structures de pouvoir seront ébranlées et les normes établies seront remises en question. Tous ces changements se produiront progressivement.*

*Tous ces événements astrologiques auront un impact sur nous au niveau personnel. Tous les changements globaux tendent à nous motiver à grandir en tant qu'individus. Si vous pouvez comprendre les enjeux et les énergies en jeu, vous aurez la possibilité de vous préparer aux changements qui peuvent vous affecter directement.*

*Alors que le monde subit ces changements de valeurs sociales, nos valeurs changent également. Cela implique une réévaluation de nos croyances, de nos priorités et de nos modes de pensée. Au fur et à mesure que nos valeurs changent, nous entrons en* relation avec des personnes qui partagent nos convictions.

Les changements financiers qui résulteront de ces influences créeront des opportunités professionnelles car de nouveaux secteurs émergeront. Il est nécessaire de se tenir au courant des nouvelles tendances économiques pour réussir dans ces systèmes en mutation.

L'entrée officielle de Pluton dans le Verseau commence le 19 novembre 2024. Pluton déforme, corrompt et transforme les thèmes de la planète qui gouverne le signe dans lequel il transite. Ces thèmes subissent un processus de mort et de renaissance et finissent par être changés à jamais.

Le signe du Verseau est lié à la science, aux découvertes scientifiques, à la technologie, au cosmos, aux révolutions politiques et sociales, aux changements sociaux et aux idées libérales.

Les événements possibles de Pluton en Verseau comprennent un large éventail d'avancées technologiques et scientifiques. De nombreuses avancées spécifiques verront le jour dans les domaines de l'intelligence artificielle et de la nanotechnologie. Nous connaîtrons littéralement une révolution industrielle, étant donné que le signe du Verseau régit la technologie. Nous vivrons des événements extrêmement importants liés aux voyages *dans l'espace, à l'existence des extraterrestres et à la mise en œuvre de technologies qui réduiront notre dépendance au pétrole.*

*Un autre changement qui se produira avec ce transit concernera la structure du pouvoir, la liberté et la capacité à donner une voix aux opprimés. Avec Pluton en Verseau, un ouragan de développements politiques se prépare et ce n'est un secret pour personne que les régimes autoritaires abondent. La division politique que nous avons observée aux États-Unis va encore s'accélérer. Les luttes de pouvoir et la création de nouveaux partis politiques se poursuivront.*

*Il y aura une séparation des prototypes caractéristiques du pouvoir au fur et à mesure que les dominés acquièrent plus de pouvoir et de droit à la justice.*

*En bref, un cycle totalement inconnu est en cours. L'année 2024 est un portail vers une dimension complètement différente. Les trois planètes extérieures Jupiter, Saturne, Uranus et Neptune. Elles travailleront à l'unisson pour nous aider à créer une réalité complètement différente. Uranus, Neptune et Pluton uniront leurs forces pour élever notre conscience et inscrire l'ère du Verseau dans le marbre.*

*Nous avons la chance que la technologie et la spiritualité nous soutiennent dans ces changements vers un monde complètement différent, où l'originalité et l'évolution personnelle prévalent, alors que de plus en plus de personnes s'éveillent et se déconnectent de l'oppression mentale à laquelle elles ont été soumises.*

*Nous devons être raisonnables et nous rappeler que pour que ce nouveau cycle avance, toutes les structures obsolètes doivent continuer à s'effondrer, comme c'est le cas depuis 2021. Saturne, maître impitoyable, a la charge de ce processus lors de son passage en Poissons, tandis que Jupiter tend sa main douce.*

*Les nœuds lunaires sur l'axe du Bélier et de la Balance continueront à mettre fin aux relations toxiques, abusives et addictives.*

*N'oubliez pas que l'astrologie joue un rôle dans l'alignement des événements sur le comportement humain. La prudence et l'adaptation sont des qualités décisives pour les opportunités et les défis de 2024.*

*La fusion des connaissances astrologiques et de l'expérience vécue nous permettra d'avancer vers un avenir plus radieux.*

*N'oubliez pas que lorsque le monde change, vous avez la possibilité de changer avec lui. Si vous ne résistez pas au changement, vous passerez l'année 2024 en bonne santé.*

## *Poisson*

Les Poissons sont symbolisés par deux poissons nageant en sens inverse, reliés par un fil invisible, représentant leur existence à la croisée des chemins entre l'utopie et la réalité.

C'est le dernier signe du zodiaque et, pour cette raison, les Poissons ont accumulé toutes les leçons des onze signes principaux.

C'est le signe le plus spirituel de la roue zodiacale. Gentil et courtois, mais rude comme un spécimen vivant dans les eaux profondes de l'océan.

Le flou des Poissons est régi par Neptune, la planète qui contrôle la créativité et les rêves, ainsi que l'utopie et l'évasion. Neptune est luxueux, fascinant, mais peut parfois être effrayant.

Ces propriétés se retrouvent chez les Poissons. En tant que signe d'eau, il possède une énorme *profondeur multidimensionnelle et une magie qui le rend séduisant pour les autres.*

*Tout comme la mer alterne ses vagues : tantôt calme, fantasmant sur le lendemain et réfléchissant sur les âmes et les événements de sa vie, tantôt énergique et violente, libérant ses sensibilités les plus intimes dans des courants grandioses.*

*La mer étant une force puissante et dangereuse, préparez-vous à toutes les frayeurs qui vous attendent avant de partir à la conquête des Poissons.*

*Dévoué à sa méthode, le Poisson ne craint jamais de changer d'avis ; au contraire, il apprécie l'opportunité d'adopter de nouvelles approches et de nouvelles idées.*

*Les Poissons ne sont pas rancuniers, ils peuvent avoir le plus grand conflit du monde et l'effacer complètement de leur esprit. Les Poissons aident également les autres à voir la vie sous de nouvelles perspectives et vous pouvez compter sur eux pour vous aider en toute circonstance.*

*Toujours à la recherche de nouvelles façons d'élargir ses horizons, le Poisson aime libérer sa spiritualité à travers des coutumes qui modifient son imagination, même s'il s'agit de poursuivre une sirène dans un marais, car, en tant que signe suprême du zodiaque, il a la certitude que la réalité est bien intangible. Ce signe est une éponge émotionnelle qui attire définitivement tout ce qui l'entoure, même ce qui existe sur le plan subtil.*

*Avec une telle empathie, avant de s'engager dans une nouvelle relation, les Poissons devraient prendre le temps d'examiner ce qu'ils ressentent vraiment, de noter toute gêne et, si les choses semblent étranges, il est très probable qu'ils aient absorbé des énergies sombres du champ aurique de l'autre personne.*

*Si le Poisson peut identifier la source de cette tension, il lui sera plus facile de reconnaître comment les sentiments des autres l'affectent physiquement.*

*Cela peut vous aider à vous concentrer sur la définition des lignes et à éviter d'être submergé par les difficultés des autres à l'avenir.*

*Le Poisson est une âme douce, affectueuse et pure, animée par les rêves, la musique et l'amour. Sortir avec un Poisson, c'est comme plonger dans les profondeurs du grand océan, excitant et mystérieux.*

*Les Poissons sont instinctivement attirés par les personnes non conventionnelles qui marchent au rythme de leur propre tambour. Toutefois, cela ne signifie pas que votre partenaire idéal est un paria.*

*Les Poissons préfèrent les partenaires liés à des communautés innovantes et libérales. Pour un rendez-*

*vous avec les Poissons, pensez à visiter un opéra, une galerie d'art ou à vous inscrire à un atelier artistique.*

*Il est influencé par les expériences, en particulier celles qui impliquent les pouvoirs non oraux et non corporels ; en effet, toute expérience avec les Poissons spirituels est confirmée comme impliquant une exploration subjective profonde.*

*Avec le temps et l'interaction, vous pouvez découvrir exactement quel type de pratiques le partenaire de ce signe peut ou ne peut pas tolérer, mais au début de votre engagement, évitez tout ce qui est exorbitant.*

*Cette créature perspicace ne tolère aucune impolitesse.*

*Avec cette remarquable personnalisation spirituelle et affective, l'accouplement des Poissons est profondément sentimental ; cette créature des eaux profondes conçoit les relations intimes comme l'alliance de deux âmes sublimes et propres.*

*Les Poissons peuvent avoir des relations sexuelles non planifiées, mais ils choisissent d'être avec quelqu'un qu'ils aiment sincèrement avant de tomber si bas.*

*Il est difficile pour ce signe sensible de créer des limites, car il n'y a pas de limites dans la mer. Avoir une relation occasionnelle avec les Poissons, c'est comme voyager dans une autre galaxie, et il est beaucoup plus difficile d'embarquer dans leurs marées dans le cadre d'une relation établie.*

*Structurer une relation durable avec les Poissons est un art, qui exige de l'intrépidité, du dynamisme et de l'adaptabilité. Les Poissons opèrent dans une réalité qui leur est propre, il n'est donc pas surprenant que ce signe d'eau rêveur puisse être un peu rude sur les bords.*

*Il se peut qu'il fasse des projets d'avenir avec vous, qu'il veuille acheter une maison ou avoir un enfant, puis qu'il change d'avis après un certain temps.*

*C'est décevant, mais il ne sert à rien de confronter les Poissons à leur comportement malhonnête, car ils n'ont pas de cadre émotionnel, leur seule protection est de s'enfuir à la nage et, si vous ne le saviez pas, les Poissons ont tendance à quitter le navire à la moindre attaque.*

*Dans une relation, les Poissons doivent accepter de communiquer les émotions de leur partenaire. Il peut être difficile pour eux d'admettre quelque chose qu'ils ne veulent pas entendre, mais la communication est la clé du maintien de la relation.*

*Si vous sentez que votre partenaire Poissons commence à s'éloigner, la musique est un moyen de l'attirer.*

*À première vue, cela semble simple, mais les objets personnalisés gagneront sûrement le cœur de ce petit poisson et contribueront à rétablir la confiance dans votre relation.*

*Cependant, si une relation atteint un point de non-retour, les Poissons s'isolent discrètement.*

*Il préfère ne pas affronter le problème, de sorte que la forme de rupture qu'il préfère est souvent vague et non définitive.*

## *Horoscope général des Poissons*

*Si vous souhaitez changer radicalement de vie, créer votre propre entreprise ou votre propre autonomie et affirmer votre individualité, c'est l'année qu'il vous faut.*

*L'influence des planètes vous rend intrépide et courageux, mais aussi sujet aux accidents. Tous les accidents seront le résultat de vos actions irréfléchies ou impulsives, car votre désir sera de vous aventurer sans tenir compte des conséquences ou des avantages et inconvénients qui peuvent survenir en cours de route.*

*Les autres auront tendance à vous qualifier d'égoïste ou d'égocentrique, ce qui n'est pas toujours faux, car vous serez plus intéressé par vos propres affaires que par celles des autres. Vous serez également beaucoup plus autoritaire qu'auparavant et aurez tendance à imposer vos opinions.*

*C'est une année où vous réussirez à atteindre les objectifs que vous vous êtes fixés. Vous ferez preuve d'une grande cohérence et d'une grande autorité pour imposer vos idées. Vos ambitions seront fortes et précises et vous ne céderez pas à la peur ou à l'insécurité.*

*Il est important que vous fassiez preuve de discernement et que vous choisissiez les objectifs prioritaires et les objectifs secondaires. Ordre, méthode, organisation et travail constant sont les mots clés de la réussite cette année.*

*Vous risquez également de rencontrer des problèmes difficiles à résoudre, des adversaires qui remettent en question vos capacités, ou d'avoir affaire à des patrons ou à des personnes en position d'autorité qui ne sont pas très logiques et qui constituent un obstacle à votre vie.*

*Le destin mettra à l'épreuve votre ténacité et votre confiance. Le succès ne viendra pas de la chance, mais d'un travail acharné.*

*A la maison, vous trouverez un environnement aimant et encourageant. Ne laissez pas vos ambitions et les questions matérielles prendre le pas sur votre côté affectif.*

*Neptune restera dans votre signe pendant toute l'année 2024, amplifiant l'énergie naturelle des Poissons, vous rendant plus intuitif, spirituel, imaginatif, compatissant, empathique et créatif. Saturne sera également dans votre signe pendant toute l'année 2024, limitant une partie de cette énergie, vous obligeant à être plus concentré et à garder le contrôle.*

*En 2024, vous exercerez plus de responsabilités, grâce à Saturne, et cela pourra vous sembler contraignant et étouffant par moments, mais vous aurez peut-être des leçons à apprendre qui vous aidera à grandir d'une nouvelle manière.*

*Pendant les périodes de Nouvelle Lune, vous aurez l'occasion de prendre l'initiative et d'aller au bout de vos désirs. N'oubliez pas d'être discipliné et peu pressé avec Saturne, tout en écoutant votre intuition avec Neptune.*

*Les éclipses lunaires peuvent être des moments finaux. Il peut s'agir d'un grand final, de quelque chose sur lequel vous travaillez depuis un certain temps et que vous êtes prêt à terminer, ou vous pouvez libérer ou laisser partir quelque chose d'important qui vous retenait où vous pesait.*

*Vous pourriez voir les résultats de votre travail, ce qui signifie que vous serez récompensé si vous avez fait les choses de la bonne manière et pour les bonnes raisons, ou vous pourriez avoir des revers si vous devez changer votre approche. Les émotions peuvent être fortes et profondes et vous devrez peut-être prêter plus d'attention à vos désirs et à vos besoins.*

*Poissons 2024 vous apporte de nombreux changements positifs, c'est une période où vous irez de l'avant et aurez l'occasion d'exercer votre plein potentiel tout au long de l'année grâce aux vibrations positives qui vous entourent. Cette année marque le début d'une nouvelle vie pour les Poissons.*

*Le travail acharné et le dévouement vous permettront de terminer l'année avec succès.*

*Concentrez-vous sur l'avenir et saisissez les opportunités qui se présenteront à vous cette année. Évitez les soucis et les angoisses qui peuvent vous épuiser. Canalisez votre énergie dans des domaines positifs et équilibrez votre vie.*

### *Amour*

*Cette année sera pleine d'aventures, d'engagements émotionnels et de responsabilités qui peuvent révéler une autre facette de votre personnalité. Vous vous sentirez peut-être dépassé par les événements qui vous entourent, mais avec le temps, vous vous adapterez au rythme de la vie.*

*Votre vision des relations et de l'équilibre entre vie professionnelle et vie privée peut changer de manière significative lorsque vous entrez dans une nouvelle phase de votre vie.*

*Pendant les périodes de pleine lune, vous prendrez vos engagements plus au sérieux. Il se peut que vous vous engagiez davantage sur le plan émotionnel. Si vous sentez que vous n'avez pas une bonne connexion avec quelqu'un, vous pouvez ressentir le besoin de vous éloigner complètement.*

Lorsque la Nouvelle Lune se produit dans votre secteur amoureux le 5 juillet, vous recevrez plus d'amour dans votre vie. Vous pourrez passer plus de temps avec les personnes que vous aimez et partager l'amour que vous ressentez. Si vous êtes en couple, cela pourrait vous apporter plus de romance. Si vous êtes célibataire, vous pourrez attirer l'attention et vous amuser.

Pendant les périodes de rétrogradation de Mercure, les problèmes relationnels existants peuvent s'aggraver.

Si vous êtes célibataire, vous vous concentrerez surtout sur votre épanouissement personnel, ce qui signifie que vous ne serez pas très intéressé par la recherche de l'âme sœur en 2024.

C'est peut-être l'année où vous commencez à fréquenter plusieurs personnes à la fois pour les comparer les unes aux autres. Il n'y a rien de mal à cela, mais veillez à ne pas commettre d'erreurs pour éviter d'envoyer un SMS à la mauvaise personne ou de vous rendre au mauvais endroit au mauvais moment.

Si vous avez un partenaire, des problèmes de communication peuvent survenir, il est donc essentiel d'exprimer honnêtement vos sentiments. En outre, de vieilles blessures et des émotions non résolues peuvent refaire surface, vous obligeant à les affronter et à les guérir. N'oubliez pas que ces défis sont autant *d'occasions de grandir et qu'ils renforceront votre amour.*

*Au fur et à mesure que l'année avance, préparez-vous à des événements inattendus dans votre vie amoureuse. Un ancien amour pourrait se raviver ou vous pourriez croiser le chemin d'une personne que vous pensiez avoir quitté vos rêves. Accueillez ces rencontres à cœur ouvert, car elles ont le potentiel de changer votre vie amoureuse de façon extraordinaire.*

### L'économie

*L'année 2024 est un voyage sur les marées de la prospérité, car votre attention se portera sur le domaine monétaire. Cette année promet des vagues d'opportunités et votre créativité innée et votre nature intuitive seront des atouts précieux dans le monde financier. Vos idées novatrices peuvent conduire à des flux de revenus inattendus et les investissements réalisés avec organisation peuvent donner d'excellents résultats.*

*Cependant, des dépenses imprévues ou des difficultés financières peuvent survenir. Il est essentiel d'avoir un budget et d'épargner pour les jours difficiles. Vous devez vous méfier des entreprises risquées et vous rappeler que toutes les opportunités ne sont pas aussi prometteuses qu'elles le paraissent.*

*Évitez les dépenses impulsives et respectez un plan financier. L'intuition peut aider à prendre des décisions financières, mais elle peut aussi conduire à des achats impulsifs motivés par les émotions. Il est essentiel de trouver un équilibre entre le cœur et le portefeuille. Réfléchissez avant de prendre des engagements financiers importants.*

*Envisagez d'allouer des ressources à votre développement personnel ; investir dans votre formation pourrait vous permettre de bénéficier d'une croissance financière à long terme. Cette année pourrait être celle où l'acquisition d'une nouvelle compétence sera très gratifiante, augmentant votre potentiel financier ou vous ouvrant de nouvelles perspectives de carrière.*

*Pendant les périodes de Pleine Lune, vous verrez les résultats du travail que vous avez accompli et vous vous efforcerez de lever les blocages qui vous ont empêché d'aller de l'avant.*

*Pendant les périodes de rétrogradation de Mercure, vous aurez beaucoup d'énergie et de concentration, ce qui vous permettra de ramener l'abondance dans votre vie. Vous pourrez également relancer des projets professionnels ou reprendre un ancien projet qui ne s'est jamais concrétisé.*

*Il est important que vous effectuiez un travail qui vous implique émotionnellement, qui vous passionne, qui vous donne du plaisir et qui vous satisfait, sinon cette année pourrait être très difficile sur le plan professionnel. Si ce n'est pas le cas, 2024 vous obligera probablement à changer.*

## *Famille*

*Cette année promet un mélange d'amour, de croissance et de défis dans votre vie familiale, vous donnant l'occasion de surmonter les obstacles.*

*Quelqu'un va entrer dans votre famille et rafraîchir l'atmosphère, en apportant l'énergie dont tout le monde a besoin. Son approche sera exactement à l'opposé de la vôtre, mais il apportera harmonie et connexion à votre famille.*

*Votre compassion naturelle et votre nature empathique se manifesteront de manière éclatante, vous permettant de jouer un rôle de pacificateur dans les désaccords familiaux.*

*Toutefois, attendez-vous à des désaccords ou à des malentendus. Votre nature empathique peut vous amener à absorber le fardeau émotionnel des autres, ce qui peut nuire à votre bien-être. Il est essentiel de fixer des limites et de communiquer ouvertement pour surmonter ces difficultés et maintenir l'harmonie au sein de la famille.*

*Envisagez de participer à des activités communes pour renforcer l'unité de votre famille. Acceptez le changement comme une opportunité de transformation positive pour votre famille, en favorisant un climat de compréhension.*

*Accordez la priorité au temps de qualité avec vos proches. Débranchez-vous des distractions.*

## Santé des poissons

*En 2024, les étoiles s'alignent pour vous donner beaucoup d'énergie et de vitalité, ce qui vous permettra d'avoir une bonne santé et aussi beaucoup d'enthousiasme.*

*C'est une excellente année pour mettre en place une routine d'exercice adaptée à vos préférences. Une alimentation équilibrée et une bonne hydratation contribueront à votre bien-être. Les soins personnels doivent être votre priorité.*

*Le stress et les fluctuations émotionnelles doivent être gérés, leur nature empathique peut conduire à l'épuisement émotionnel, il faut donc fixer des limites.*

*Le surmenage peut nuire à votre santé. Veillez donc à prendre régulièrement des pauses et des vacances pour recharger votre énergie. Accordez la priorité à un sommeil suffisant et à l'exploration de pratiques holistiques.*

*Vous pouvez avoir des problèmes digestifs et prendre du poids.*

### Dates importantes

*19/02 Le Soleil entre en Poissons*

*23/02 Mercure entre en Poissons.*

*28/02 Soleil conjonction Saturne en Poissons.*

*03/10 Nouvelle lune en Poissons*

*17/03 Soleil conjoignant Neptune en Poissons.*

*22/03 Mars entre en Poissons.*

*29/06 Saturne rétrograde en Poissons*

*07/02- Neptune rétrograde en Poissons*

*18/09- Pleine Lune et éclipse partielle de Lune en Poissons.*

*15/11 Saturne direct en Poissons*

*12/07 Saturne direct en Poissons.*

# *Introduction. Rituels*

*Dans ce livre, nous vous proposons différents sorts et rituels pour attirer l'abondance économique dans votre vie en 2024, car cette année sera riche en défis.*

*Lorsque tout semble s'écrouler, l'aide spirituelle arrive à point nommé.*

*La magie fonctionne. La plupart des gens qui réussissent, croyez-le ou non, la pratiquent, mais bien sûr ils ne vous le diront pas. Elles ont obtenu leurs triomphes parce qu'elles ont soigneusement exécuté certains des rituels que nous proposons dans ce livre.*

*Si vous en avez assez d'échouer en amour ces dernières années, vous avez acheté le bon livre, car votre vie amoureuse changera complètement lorsque vous mettrez en pratique les rituels que nous recommandons.*

*Les sorts de santé et les rituels de magie blanche vous aideront à maintenir ou à améliorer votre état de santé, mais n'oubliez jamais qu'ils ne remplacent pas un médecin ni les traitements qu'il prescrit.*

*Les sorts de santé sont très populaires dans le monde de la magie, après les sorts d'amour ou d'argent, les sorts de santé sont très recherchés pour leur grande efficacité, bien qu'ils ne soient pas faciles à lancer car la santé est un sujet sensible.*

*Il existe un nombre infini de raisons pour lesquelles un rituel ou un sort ne fonctionne pas, et nous commettons des erreurs sans nous en rendre compte.*

*L'énergie rituelle est gaspillée si trop de personnes savent ce que vous faites.*

*Pour obtenir des résultats positifs, il est nécessaire de pratiquer au bon moment.*

*Ces périodes magiques sont liées à l'astrologie et nous devons les connaître et planifier nos rituels pour ces périodes, qui seront les plus propices à l'exécution de notre magie.*

# *Rituels de janvier*

**Janvier 2024**

| Dimanche | Lundi | Mardi | Mercredi | Jeudi | Vendredi | Samedi |
|---|---|---|---|---|---|---|
|  | 1 |  |  |  | 5 |  |
|  | 8 |  | 10 | 11<br><br>Nouvelle lune |  |  |
|  |  |  |  |  |  |  |
| 21 |  | 23 |  | 25<br>Pleine lune | 26 |  |
|  | 29 | 30 | 31 |  |  |  |

*11 janvier 2024 Nouvelle Lune en Capricorne 20°44'*

*25 janvier 2024 Pleine Lune      Lion5°14*

## *Les meilleurs rituels pour l'argent*

***Jeudi 11 janvier 2024*** *(jour de Jupiter). Nouvelle Lune en Capricorne, signe de stabilité. Journée favorable pour organiser nos objectifs, nos vocations, notre carrière, pour obtenir des honneurs. Pour demander une augmentation, faire des présentations, parler en public. Pour les sorts liés au travail ou à l'argent. Rituels liés à l'obtention de promotions, aux relations avec les supérieurs et à la réussite.*

***Jeudi 25 janvier 2024*** *(jour de Vénus) Favorable aux sorts d'argent, d'amour et aux questions juridiques. Rituels liés à la prospérité et à l'obtention d'un emploi.*

### *Rituel pour la chance dans les jeux de hasard*

*Sur un billet de loterie, vous écrivez le montant que vous voulez gagner au recto du billet et votre nom au verso. Brûlez le billet avec une bougie verte. Recueillez les cendres dans une carte violette et enterrez-les.*

## *Gagner de l'argent avec le Bol de Lune. Pleine Lune*

*C'est nécessaire :*
*- 1 verre en cristal*
*- 1 grande assiette*
*- Sable fin*
*- Paillettes d'or*
*- 4 tasses de sel marin*
*- 1 quartz malachite*
*- 1 tasse d'eau de mer, de rivière ou d'eau bénite*
*- Bâtons de cannelle ou cannelle en poudre*
*- Basilic frais ou séché*
*- Persil frais ou séché*
*- Grains de maïs*
*- 3 notes sur les désignations actuelles*


*Placez les trois billets de banque pliés, les bâtons de cannelle, les grains de maïs, la malachite, le basilic et le persil dans le verre. Mélangez les paillettes au sable et ajoutez-en dans le verre jusqu'à ce qu'il soit* complètement rempli. Sous la lumière de la pleine lune, placez l'assiette avec les quatre tasses de sel de mer.

Placez la coupe au centre du plat, entourée de sel. Versez la coupe d'eau bénite dans le plat de manière à bien humidifier le sel, laissez-le là toute la nuit à la lumière de la pleine lune et une partie de la journée jusqu'à ce que l'eau s'évapore et que le sel soit à nouveau sec.

Ajouter quatre ou cinq grains de sel dans le verre et verser le reste.

Portez le verre dans la maison, dans un endroit visible ou dans l'endroit où vous gardez l'argent.

Chaque jour de pleine lune, dispersez un peu du contenu du bol dans tous les coins de la maison et balayez-le le lendemain.

### Les meilleurs rituels pour l'amour

**Vendredi 19 janvier 2024** (*Jour de Vénus*). *Convient aux sorts et rituels liés à l'amour, aux contrats et aux partenariats.*

## *Sortilège pour adoucir un être cher*

Vous écrivez le nom complet de votre proche et votre propre nom au-dessus sept fois sur un morceau de papier brun.

Mettez ce papier dans un verre et ajoutez-y du miel, de la cannelle, un quartz rose et des morceaux d'écorce d'orange.

Tout en accomplissant le rituel, répétez dans votre esprit : "Je t'aime et seul le véritable amour règne entre nous". Conservez-la dans un endroit sombre.

## *Rituel pour attirer l'amour*

*Il est nécessaire*

*- Huile de rose*

*- 1 quartz rose*

*- 1 pomme*

*- 1 rose rouge dans un petit vase*

*- 1 rose blanche dans un petit vase*

*- 1 long ruban rouge*

*- 1 bougie rouge*

*Pour une efficacité maximale, ce rituel doit être effectué le vendredi ou le dimanche, à l'heure des planètes Vénus ou Jupiter.*

*Il est nécessaire de consacrer la bougie avant de commencer le rituel à l'huile de rose. Allumez la bougie. Coupez la pomme en deux morceaux et* placez-en un dans le vase de roses rouges et l'autre dans le vase de roses blanches.  Attachez le ruban rouge autour des deux vases.  Laissez-les à côté de la bougie toute la nuit jusqu'à ce que la bougie soit éteinte.  Pendant ce temps, répétez dans votre esprit : "Que la personne destinée à me rendre heureux se présente sur mon chemin, je l'accueille et je l'accepte.

Lorsque les roses sont sèches, enterrez-les avec les moitiés de pommes dans votre jardin ou dans un pot avec du quartz rose.

## Pour attirer l'amour impossible

C'est nécessaire :
- 1 rose rouge
- 1 rose blanche
- 1 bougie rouge
- 1 bougie blanche
- 3 bougies jaunes
- Fontaine en verre
- Pentacle de Vénus #4

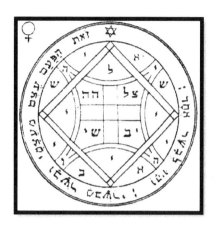

**Pentacle de Vénus n° 4.**

Placez les bougies jaunes en forme de triangle. Écrivez vos souhaits d'amour et le nom de la personne que vous voulez dans votre vie au dos du pentagramme de Vénus, placez la fontaine au-dessus du pentagramme, au centre. Allumez la bougie rouge et la bougie blanche et placez-les dans la fontaine avec les roses. Répétez cette phrase : "Univers, fais entrer dans mon cœur la lumière de l'amour de (nom complet)".

Répétez cette opération trois fois. Lorsque les bougies sont éteintes, emportez le tout dans la cour et enterrez-le.

## *Les meilleurs rituels pour la santé*

### *Mardi 30 janvier 2024 (Jour de Mars). Pour se protéger ou recouvrer la santé.*

## *Sortilège pour protéger la santé de nos animaux de compagnie*

Faites bouillir de l'eau minérale, du thym, du romarin et de la menthe. Lorsqu'elle refroidit, la mettre dans un flacon pulvérisateur devant une bougie verte et une bougie dorée.

Une fois les bougies consommées, il est nécessaire d'utiliser ce spray sur l'animal pendant neuf jours. Surtout sur la poitrine et le dos.

## *Sort d'amélioration instantanée*

Vous devriez obtenir une bougie blanche, une bougie verte et une bougie jaune.

Consacrez-les (de la base à la mèche) avec de l'essence de pin et placez-les sur une table avec une nappe bleue en forme de triangle.

Au centre, placez un petit récipient en verre contenant de l'alcool et une petite améthyste.

Au fond du récipient, une feuille de papier avec le nom de la personne malade ou une photographie avec le nom complet et la date de naissance au dos.

Allumez les trois bougies et laissez-les brûler jusqu'à ce qu'elles soient complètement consumées.

*Pendant l'exécution de ce rituel, visualisez la personne en parfaite santé.*

## *Le charme de l'amincissement*

*Piquez votre doigt avec une épingle et placez trois gouttes de sang et une cuillerée de sucre sur un morceau de papier blanc, puis fermez le papier et enveloppez le sang dans le sucre.*

*Mettez ce papier dans un récipient en verre neuf et non décoré, remplissez-le à moitié d'urine, laissez-le toute la nuit devant une bougie blanche et enterrez-le le lendemain.*

# Rituels pour le mois de février

## Février 2024

| Dimanche | Lundi | Mardi | Mercredi | Jeudi | Vendredi | Samedi |
|---|---|---|---|---|---|---|
|  |  |  |  | 1 |  |  |
|  | 5 |  |  | 8 | 9 <br> Nouvelle lune | 10 |
|  |  |  |  |  |  |  |
|  |  | 21 |  |  | 23 <br> Pleine lune |  |
| 25 | 26 |  |  | 29 |  |  |

*9 février 2024 Nouvelle Lune Verseau 20°40*

*23 février 2024 Pleine Lune Vierge 5°22*

## Les meilleurs rituels pour gagner de l'argent

*9 février 2024 (jour de Vénus). Dans cette phase, nous travaillons pour augmenter ou attirer quelque chose. Dans ce cycle, nous demandons que l'amour vienne, que l'argent augmente sur nos comptes ou que notre prestige au travail augmente.*

### Rituel pour augmenter la clientèle. Croissant de lune gibbeux

*C'est nécessaire :*
- *5 feuilles de rue*
- *5 feuilles de verveine*
- *5 feuilles de romarin*
- *5 grains de gros sel de mer*
- *5 grains de café*
- *5 grains de blé*
- *1 pierre magnétique*
- *1 sac en tissu blanc*
- *Fil rouge*
- *Peinture rouge*
- *1 carte de visite*
- *1 pot avec une grande plante verte*

*- 4 quartz citrine*

*Placez tous les matériaux dans le sac blanc, à l'exception de l'aimant, du carton et des citrines.*

*Cousez-le ensuite avec du fil rouge et écrivez le nom de l'entreprise à l'extérieur à l'encre rouge. Laissez le sac sous le comptoir ou dans un tiroir du bureau pendant toute une semaine.*

*Après ce temps, enterrez-la au fond du vase avec la pierre d'aimant et la carte de visite. Enfin, placez les quatre citrines au-dessus de la terre dans le vase, en direction des quatre points cardinaux.*

**Sort de prospérité**

*C'est nécessaire :*

*- 3 pyrites ou quartz citrine*

*- 3 pièces d'or*

*- 1 bougie dorée*

*- 1 sachet rouge*

*Le premier jour de la Nouvelle Lune, placez une table près d'une fenêtre ; placez les pièces de monnaie et le quartz en forme de triangle sur la table. Allumez la bougie, placez-la au centre et, en regardant le ciel, répétez trois fois la prière suivante :*

*"Lune tu illumines ma vie, utilise le pouvoir que tu as pour attirer l'argent vers moi et faire se multiplier ces pièces".*

*Lorsque la bougie est éteinte, placez les pièces et le quartz dans le sac rouge de votre main droite et portez-le toujours sur vous : ce sera votre talisman pour attirer l'argent, personne ne doit le toucher.*

### *Les meilleurs rituels pour l'amour*
*11, 22, 25 février 2024. Pour les sorts ou rituels liés à l'amour, aux contrats et aux partenariats.*

## *Rituel de consolidation de l'amour*

Ce sort est le plus efficace pendant la phase de pleine lune.

C'est nécessaire :
- 1 boîte en bois
- Photographies
- Mel
- Pétales de roses rouges
- 1 quartz améthyste
- Bâtons de cannelle


Prenez les photos, écrivez-y leurs nom, prénom et date de naissance et placez-les à l'intérieur de la boîte de manière qu'elles se fassent face.

Ajouter le miel, les pétales de rose, l'améthyste et la cannelle.


Placez la boîte sous le lit pendant treize jours. Après cette période, retirez l'améthyste de la boîte et lavez-la avec de l'eau de lune.

*Il doit être conservé comme amulette pour attirer l'amour désiré. Le reste doit être emporté dans une rivière ou une forêt.*

### **Rituel pour sauver un amour en déclin**

*C'est nécessaire :*
*- 2 bougies rouges*
*- 1 feuille de papier jaune*
*- 1 enveloppe rouge*
*- 1 crayon rouge*
*- 1 photo de votre proche et 1 photo de vous-même*
*- 1 conteneur métallique*
*- 1 ruban rouge*
*- Nouvelle aiguille à coudre*

*Ce rituel est plus efficace pendant la phase du croissant de lune et les vendredis à la planète Vénus ou au soleil. Les bougies doivent être consacrées avec de l'huile de rose ou de cannelle.*

*Écrivez votre nom et celui de votre partenaire sur le papier jaune avec le crayon rouge. Écrivez également ce que vous voulez en mots courts mais précis. Inscrivez les noms sur chaque bougie à l'aide de l'aiguille à coudre. Allumez les bougies et placez le papier entre les photos, face à face, et attachez-les avec le ruban. Brûlez les photos dans le récipient métallique avec la bougie portant votre nom et répétez-le à haute voix :*

*"La nôtre est renforcée par la force de l'univers et toutes les énergies qui existent dans le temps".*

*Mettez les cendres dans le sac et, lorsque les bougies sont éteintes, placez le sac sous le matelas à la tête du lit.*

### Les meilleurs rituels pour la santé

*4,12,19 février 2024. Cette période est conseillée pour les opérations chirurgicales, car elle favorise la cicatrisation.*

## *Rituel de santé*

*Faire bouillir des pétales de rose blanche, du romarin et de la rue dans une casserole. Une fois refroidie, ajoutez de l'essence de rose et de l'huile d'amande. Allumez cinq bougies violettes dans votre bain, que vous aurez préalablement consacré avec de l'huile d'orange et de l'eucalyptus. Écrivez le nom de la personne sur l'une des bougies. Prenez un bain avec cette eau et, ce faisant, visualisez que la maladie ne s'approchera pas de vous ou de votre famille.*

## *Rituel de santé pendant la phase du croissant de lune*

*Sur une feuille d'aluminium, placez du sel marin, 3 gousses d'ail, 4 feuilles de laurier, 5 feuilles de rue, une tourmaline noire et un morceau de papier portant*

*le nom de la personne. Pliez le papier et attachez-le avec un ruban violet. Portez cette amulette dans la poche de votre veste ou dans votre sac.*

## *Rituels pour le mois de mars*

**Mars 2024**

| Dimanche | Lundi | Mardi | Mercredi | Jeudi | Vendredi | Samedi |
|---|---|---|---|---|---|---|
| | | | | | 1 | |
| | | 5 | | | 8 | 9 |
| 10 Nouvelle lune | | | | | | |
| | | | | 21 | | 23 |
| 24 Pleine lune | 25 | 26 | | | 29 | 30 |
| 31 | | | | | | |

*10 mars 2024 Nouvelle Lune Poissons 20°16'.*

*24 mars 2024 Pleine Lune Balance 5°07' (éclipse de Lune 5°13')*

## Les meilleurs rituels pour gagner de l'argent

8,10,22 mars 2024. Rituels liés à la prospérité et à l'obtention d'un emploi.

## Sorts pour réussir les entretiens d'embauche.

Placez trois feuilles de sauge, de basilic, de persil et de rue dans un sac vert. Ajouter un quartz œil de tigre et une malachite.

Fermez le sac avec un ruban doré. Pour l'activer, placez-le dans votre main gauche à hauteur du cœur et, quelques centimètres plus haut, placez votre main droite par-dessus, fermez les yeux et imaginez que de l'énergie blanche s'écoule de votre main droite dans votre main gauche, recouvrant le sac.

Garde-le dans votre portefeuille ou votre poche.

## *Rituel permettant de s'assurer que l'argent est toujours présent dans le foyer.*

*Vous aurez besoin d'un pot en verre blanc, de haricots noirs, de haricots rouges, de graines de tournesol, de grains de maïs, de grains de blé et d'encens de myrrhe.*

*Mettez tout dans la bouteille dans le même ordre, fermez-la avec un couvercle en liège et versez la fumée d'encens dans la bouteille. Placez-la ensuite comme décoration dans la cuisine.*

## *Sortilège gitan pour la prospérité*

*Prenez un pot en terre cuite de taille moyenne et colorez-le en vert. Mettez au fond de la myrrhe, une pièce de monnaie et quelques gouttes d'huile d'olive.*

*Recouvrez d'une couche de terre et ajoutez les graines de votre plante préférée. Ajoutez de la cannelle et encore de la terre. Placez le pot dans la salle à manger et arrosez-le pour qu'il pousse.*

## Les meilleurs rituels pour l'amour

*1, 17, 24, 29 mars 2024*

### Rituel pour éviter les problèmes relationnels

*Ce rituel doit être pratiqué pendant l'éclipse lunaire ou la phase de pleine lune.*

*C'est nécessaire :*
*- 1 ruban adhésif blanc*
*- 1 paire de ciseaux neufs*
*- 1 stylo à bille rouge*
*Écrivez sur le ruban blanc, à l'encre rouge, le problème que vous rencontrez et le nom de la personne. Coupez-le ensuite en sept morceaux avec des ciseaux et, ce faisant, répétez-le à voix haute :*

*"C'est mon problème. Je veux que vous partiez et que vous ne reveniez jamais. S'il vous plaît, éloignez-le de moi. C'est comme ça.*

*Mettez tout dans un sac noir et enterrez-le.*

### Cravates d'amour

*C'est nécessaire :*

*- Bonne herbe*

*- Basilic*

*- Photo en pied de la personne aimée sans lunettes*

*- Photo du corps entier sans lunettes*

*- 1 écharpe en soie jaune*

*- 1 boîte en bois*

*Placez les deux photographies à l'intérieur de la boîte en inscrivant le nom au dos de chacune d'elles. Placez le mouchoir jaune à l'intérieur et saupoudrez-*

*le de basilic et de bonne herbe. Laissez-l'exposé aux énergies de la lune. Le lendemain, enterrez-le dans un endroit où personne ne le sait. Tout en creusant le trou, visualisez ce que vous voulez. À la pleine lune, déterrez la boîte et jetez-la dans une rivière ou dans la mer.*

### Les meilleurs rituels pour la santé

*Tous les jours sauf le samedi.*

### Sort de dépression

*Prenez une figue avec votre main droite et placez-la sur le côté gauche de votre bouche, sans ne la mâcher ni l'avaler. Prends ensuite un raisin avec ta main gauche et place-le sur le côté droit de ta bouche, sans le mâcher. Lorsque tu as les deux raisins dans la bouche, mords-les en même temps et avale-les : le fructose qu'ils dégagent te donnera de l'énergie et de la joie.*

## Sort de récupération

Éléments nécessaires :

-1 bougie blanche ou rose

-Des pétales de          rose

-Huile d'  eucalyptus

-Huile de citron

-Huile d'orange

Écrivez le nom de la personne qui a besoin du sort à l'aide d'une aiguille à coudre. Consacrez la bougie avec les huiles sous la pleine lune, en répétant : "La Terre, l'Air, le Feu, l'Eau apportent la Paix, la Santé, la Joie et l'Amour dans la vie de (dites le nom de la personne)". Laissez la bougie se consumer complètement. Les restes peuvent être jetés n'importe où.

## *Rituels pour le mois d'avril*

**Avril 2024**

| Dimanche | Lundi | Mardi | Mercredi | Jeudi | Vendredi | Samedi |
|---|---|---|---|---|---|---|
|  | 1 |  |  |  | 5 |  |
|  | 8 Nouvelle lune | 9 | 10 |  |  |  |
|  |  |  |  |  |  |  |
| 21 | 22 Pleine lune | 23 |  | 25 | 26 |  |
|  | 29 | 30 |  |  |  |  |

*8 avril 2024 Nouvelle Lune et éclipse solaire totale en Bélier19°22        '.*

*22 avril 2024 Pleine Lune du Scorpion 23° :48'*

## Les meilleurs rituels pour l'argent

*8, 7, 13, 22 avril 2024*

### Sort "Ouvrir les voies de l'abondance".

*C'est nécessaire :*
*- Je serai diplômé*
*- Romero*
*- 3 pièces d'or*
*- 1 bougie dorée*
*- Bougie argentée*
*- 1 bougie blanche*

*Effectuer 24 heures après la Nouvelle Lune.*

*Disposez les bougies en forme de pyramide, placez une pièce de monnaie à côté de chacune d'elles et les feuilles de laurier et de romarin au centre de ce triangle. Allumez les bougies dans l'ordre suivant : d'abord l'argent, le blanc et l'or. Répétez cette invocation : "Avec la puissance de l'énergie purificatrice et de l'énergie infinie, j'invoque l'aide de* toutes les entités qui me protègent pour guérir mon économie.

Laissez les bougies brûler complètement et gardez les pièces dans votre portefeuille ; ces trois pièces ne doivent pas être dépensées. Lorsque le laurier et le romarin sont secs, brûlez-les et faites passer la fumée de cet encens dans votre maison ou votre entreprise.

### Les meilleurs rituels pour l'amour
2, 13, 17 avril 2024

### L'amour marocain

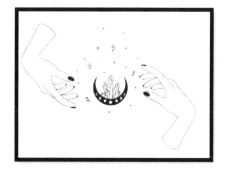

C'est nécessaire :
- La salive de l'autre personne
- Le sang de quelqu'un d'autre

- Eau de rose
- 1 écharpe rouge
- Fil rouge
- 1 quartz rose

- 1 tourmaline noire

Placez le mouchoir rouge sur une table. Placez de la terre sur le mouchoir et, par-dessus, de la salive, du quartz rose, de la tourmaline noire et le sang de la personne que vous voulez attirer. Arrosez le tout d'eau de rose et nouez le mouchoir avec le fil rouge, en veillant à ce que les éléments ne se détachent pas. Enterrez le foulard.

## Sortilège pour adoucir un être cher

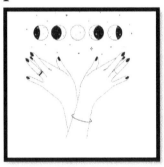

Écrivez sept fois le nom complet de votre proche et le vôtre ci-dessus sur un morceau de papier brun. Placez ce papier dans un verre de cristal et ajoutez-y du miel, de la cannelle, un quartz rose et des morceaux d'écorce d'orange. Tout en effectuant le rituel, répétez dans votre esprit : "Je t'aime et seul le véritable amour règne entre nous".

Conserver à l'abri de la lumière.

## Les meilleurs rituels pour la santé

*13, 21 et 27 avril 2024.*

### Sort de santé romain

Ajouter cinq feuilles de romarin, de la rue et des pétales de rose blanche et les faire bouillir. Une fois froid, placer le mélange sur le troisième pentagramme de Mercure pendant trois heures. Ajouter de l'essence de bois de santal, de l'huile de rose et de l'huile de lavande. Offrir ces bains aux anges gardiens de l'enfant pendant cinq jours, en allumant une bougie violette pour transformer le négatif en positif, qui doit être préalablement consacrée avec de l'huile de mandarine.

*Troisième pentacle de Mercure*

# *Rituels pour le mois de mai*

**Mai 2024**

| Dimanche | Lundi | Mardi | Mercredi | Jeudi | Vendredi | Samedi |
|---|---|---|---|---|---|---|
| | | | 1 | | | |
| 5 | | | 8 Nouvelle lune | 9 | 10 | |
| | | | | | | |
| | | 21 | 22 Pleine lune | 23 | | 25 |
| 26 | | | 29 | 30 | 31 | |

*8 mai 2024 Nouvelle Lune en Taureau 18°01'.*

*22 mai 2024 Pleine Lune Sagittaire 2°54'*

## Les meilleurs rituels pour gagner de l'argent

*6, 13, 21, 25 mai 2024*

### Aimant à argent Crescent

*C'est nécessaire :*

*- 1 verre à vin vide*

*- 2 bougies vertes*

*- 1 poignée de riz blanc*

*- 12 pièces ayant cours légal*

*- 1 aimant*

*- Riz blanc*

*Allumez les deux bougies, une de chaque côté du verre. Placez l'aimant au fond du verre. Prenez ensuite une poignée de riz blanc et placez-la dans le verre. Placez ensuite les douze pièces de monnaie dans le verre. Lorsque les bougies sont consumées jusqu'au bout, placez les pièces dans le coin de prospérité de votre maison ou de votre entreprise.*

### Sort pour nettoyer la maison ou l'entreprise de toute négativité.

C'est nécessaire :
- Une coquille d'œuf
- 1 bouquet de fleurs blanches
- Eau bénite ou eau de pleine lune
- Lait
 - Cannelle en poudre
 - Nouveau seau de nettoyage
- New mo'

Commencez par balayer la maison ou l'entreprise de l'intérieur vers l'extérieur, en vous répétant dans votre esprit de faire sortir le négatif et de faire entrer le positif. Mélangez tous les ingrédients dans le seau et balayez le sol de l'intérieur jusqu'à l'extérieur de la porte d'entrée.

Laissez sécher le sol et balayez les fleurs jusqu'à la porte de la rue, ramassez-les et jetez-les dans la poubelle avec le seau et la serpillière. Ne touchez à rien avec vos mains. Cette opération doit être effectuée une *fois par semaine, de préférence à l'heure de la planète Jupiter.*

### Les meilleurs rituels pour l'amour
*22 mai Pleine lune.*

### Des liens d'amour indéfectibles

*C'est nécessaire :*
*- 1 ruban vert*
*- 1 stylo-feutre rouge*

*Prenez le ruban vert et écrivez à l'encre rouge votre prénom, votre nom et celui de l'être aimé. Écrivez ensuite trois fois les mots amour, Vénus et passion. Attachez le ruban à votre chevet et faites un nœud tous les soirs pendant neuf nuits consécutives. Après cette période, nouez le ruban en trois nœuds sur votre bras gauche. Lorsque le ruban se rompt, brûlez-le et jetez ses cendres dans la mer ou dans un endroit où l'eau coule.*

## Rituel parce que je n'aime que toi

Ce rituel est plus efficace s'il est effectué pendant la phase du croissant de lune et le vendredi, à l'heure de la planète Vénus.

C'est nécessaire :
- 1 cuillère à soupe de miel
- 1 Pentacle n°5 de Vénus.
- 1 pinceau avec de la peinture rouge
- 1 bougie blanche
- 1 nouvelle aiguille à coudre

**Pentacle de Vénus n° 5.**

*Au dos du pentagramme de Vénus, écrivez à l'encre rouge le nom complet de la personne que vous aimez et la façon dont vous voulez qu'elle se comporte avec vous, vous devez être précis. Trempez-le ensuite dans du miel et enroulez-le autour de la bougie de manière qu'il adhère à la bougie. Fixez-le avec une aiguille à coudre. Lorsque la bougie est éteinte, enterrez les restes et répétez à haute voix : "L'amour de (nom) n'appartient qu'à moi".*

### Thé pour oublier un amour

*C'est nécessaire :*
*- 5 feuilles de menthe*
*- 1 cuillère à soupe de miel*
*- 3 bâtons de cannelle*

*Faites bouillir tous les ingrédients dans une tasse d'eau et laissez infuser. Buvez-la en pensant à tout le mal que cette personne vous a fait. Les hommes doivent le boire le mardi ou le mercredi soir avant de se coucher et les femmes le lundi ou le vendredi avant de se coucher.*

### Rituel des ongles pour l'amour

Couper les ongles des mains et des pieds et les placer dans une poêle en métal à feu moyen pour faire griller tous les restes d'ongles. Retirez-les et réduisez-les en poudre. Donnez cette poudre à votre partenaire avec sa boisson ou son repas.

.

### Les meilleurs rituels pour la santé
N'importe quel jour de mai 2024. Sauf le samedi.

### Formule magique pour une peau éclatante

Mélangez huit cuillères à soupe de miel, huit cuillères à café d'huile d'olive, huit cuillères à soupe de sucre roux, un zeste de citron râpé et quatre gouttes de jus de citron. Une fois que vous avez obtenu une pâte lisse, massez-la sur tout votre corps pendant cinq minutes.

Ensuite, vous prenez une douche, en alternant eau chaude et eau froide.

### Sort pour guérir les maux de dents

Il faut faire une étoile à cinq branches avec du sel de mer, grande parce qu'il faut se tenir au milieu.

 À chaque extrémité, placez une bougie noire et le symbole du Tétragramme (vous pouvez imprimer l'image), des feuilles de romarin, des feuilles de laurier, des pelures de pommes et des feuilles de lavande.

Lorsqu'il est midi, placez-vous au centre, allumez les bougies et répétez l'opération :

*Sanus ossa mea sunt : et labia circa dentes meos*

*Symbole du tétragramme*

## *Rituels pour le mois de juin*

**Juin 2024**

| Dimanche | Lundi | Mardi | Mercredi | Jeudi | Vendredi | Samedi |
|---|---|---|---|---|---|---|
| | | | | | | 1 |
| | | | 5 | 6 Nouvelle lune | | 8 |
| | 10 | | | | | |
| | | | | 20 Pleine lune | 21 | |
| 23 | | 25 | 26 | | | 29 |
| 30 | | | | | | |

*6 juin 2024 Nouvelle Lune en Gémeaux 16°17'.*

*20 juin 2024 Pleine Lune en Capricorne 1°06'.*

## *Les meilleurs rituels pour l'argent*
*Les 6, 13, 20, 27 sont des jeudis, jours de Jupiter.*

## *Sortilège gitan pour la prospérité*

.

Prenez un pot en terre cuite de taille moyenne et colorez-le en vert. Mettez au fond de la myrrhe, une pièce de monnaie et quelques gouttes d'huile d'olive. Recouvrez d'une couche de terre et ajoutez les graines de votre plante préférée. Ajoutez de la cannelle et encore de la terre. Placez le pot dans la salle à manger et arrosez-le pour qu'il pousse.

## Fumigation magique pour améliorer l'économie domestique.

Allumez trois braises dans un récipient en métal ou en terre cuite et ajoutez une cuillère à soupe de cannelle, de romarin et d'écorce de pomme séchée. Faites circuler le récipient dans la maison, dans le sens des aiguilles d'une montre.

Mettez ensuite les pétales de roses blanches dans un seau d'eau et laissez-les reposer pendant trois heures.

Avec cette eau, vous nettoierez votre maison.

## Essence miraculeuse pour attirer le travail.

Mettez 32 gouttes d'alcool, 20 gouttes d'eau de rose, 10 gouttes d'eau de lavande et quelques feuilles de jasmin dans un flacon en verre foncé.

*Vous le secouez plusieurs fois en pensant à ce que vous voulez attirer.*

*Mettez-le dans un diffuseur et utilisez-le à la maison, au bureau ou comme parfum personnel.*

### Sort pour se laver les mains et attirer l'argent.

*Vous aurez besoin d'un pot d'argile, de miel et d'eau de pleine lune.*

*L'avez-vous les mains avec ce liquide, mais gardez l'eau dans la casserole.*

*Laissez ensuite le pot devant une entreprise prospère ou une maison de jeu.*

### Les meilleurs rituels pour l'amour
*N'importe quel jour de juin 2024. Sauf le samedi.*

## *Rituel pour prévenir la casse*

*C'est nécessaire :*
*- 1 vase de fleurs rouges*
*- Mel*
*- Pentacle de Vénus n° 1*
*- 1 bougie pyramidale rouge*
*- Photo de la personne aimée*
*- 7 bougies jaunes*

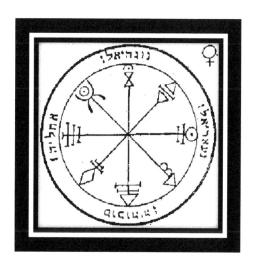

**Pentacle de Vénus n° 1.**

Allumez les sept bougies jaunes en cercle. Puis écrivez l'incantation suivante derrière le pentagramme de Vénus :

"Je te demande de m'aimer pour la vie, mon amour le plus cher" et le nom de l'autre personne. Enterrez ce pentagramme dans le vase après l'avoir plié en cinq avec la photo.

Allumez la bougie rouge et versez du miel dans la terre du vase.

Ce faisant, répétez à haute voix l'incantation suivante : "Par le pouvoir de l'Amour, nous demandons que (nom de la personne), dans un sentiment d'amour véritable qui est le mien, soit préservé afin que personne ni aucune force ne puisse nous séparer".

Lorsque les bougies sont usées, nous jetons les restes à la poubelle. Nous gardons le vase à portée de main et en prenons soin.

## *Sortilège érotique*

Vous recevez une bougie rouge en forme de pénis ou de vagin (selon le sexe de la personne qui lance le sort). Écrivez le nom de l'autre personne sur la bougie.

Elle doit être graissée avec de l'huile de tournesol et de la cannelle.

Il faut l'allumer une fois par jour, en le laissant brûler jusqu'à deux centimètres.

Lorsque la bougie est entièrement consumée, placez les restes dans un sac en tissu rouge avec le pentagramme de Mars n° 4.

Ce sachet doit être conservé sous le matelas pendant quinze jours.

Passé ce délai, vous pouvez le jeter à la poubelle.

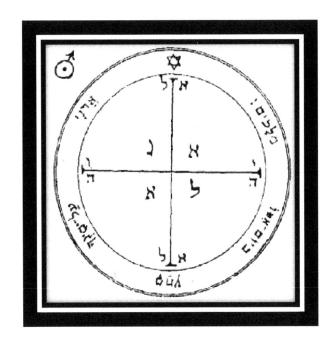

**Pentacle #4 mars**

**Rituel de l'œuf pour l'attraction**

C'est nécessaire :
- 4 œufs
- Peinture jaune

Tu dois colorier les quatre œufs en jaune et écrire la phrase "il vient à moi".

Prenez deux œufs et cassez-les dans les coins devant la maison de la personne que vous voulez attirer.

Un autre œuf est cassé devant la maison de cette personne. Le troisième jour, on jette le quatrième œuf dans une rivière.

### Sort d'amour africain

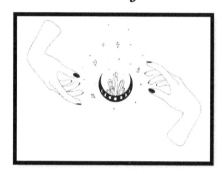

C'est nécessaire :
- 1 œuf
- 5 bougies rouges
- 1 écharpe noire
- Citrouille
- Huile de cannelle
- 5 aiguilles à coudre
- Miel d'abeille
- Huile d'olive
- 5 morceaux de pâte à pain
- Poivre de Guinée

Faites un trou dans la citrouille, écrivez le nom complet de la personne que vous voulez attirer sur un *morceau de papier et placez-le à l'intérieur de la citrouille.*

*Percez la calebasse avec des aiguilles en répétant le nom de la personne. Verser les autres ingrédients dans la calebasse et l'envelopper dans un foulard noir. Laisser la calebasse ainsi enveloppée pendant cinq jours devant des bougies rouges, une par jour. Le sixième jour, enterrer la calebasse au bord d'une rivière.*

**Les meilleurs rituels pour la santé**
*N'importe quel jour de juin 2024*

**Le charme de l'amincissement**

*Piquez votre doigt avec une épingle et placez trois gouttes de sang et une cuillerée de sucre sur un*

*morceau de papier blanc, puis fermez le papier et enveloppez le sang dans le sucre.*

*Mettez ce papier dans un récipient en verre neuf et non décoré, remplissez-le à moitié d'urine, laissez-le toute la nuit devant une bougie blanche et enterrez-le le lendemain.*

## Sortilège de maintien de la santé

*Éléments nécessaires.*

   *-1 bougie blanche.*

   *-1 carte sacrée de l'Ange de votre dévotion.*

-3    *encens de bois de santal.*

   *-Carbone végétal.*

-Herbes d'      *eucalyptus et de basilic séchées.*

-Une poignée de     *riz, une poignée de blé.*

   *-1 assiette ou plateau blanc.*

-8    *pétales de rose.*

   *-1 bouteille de parfum, les gars.*

*-1 boîte en bois.*

*Nettoyez la pièce en allumant les braises dans un récipient en métal. Lorsque les braises sont bien allumées, placez les herbes séchées dessus, petit à petit, et faites le tour de la pièce avec le récipient afin d'éliminer les énergies négatives.*

*Lorsque l'encens est terminé, les fenêtres doivent être ouvertes pour que la fumée se disperse.*

*Préparez un autel sur une table recouverte d'une nappe blanche. Placez le saint choisi et autour de lui les trois bâtons d'encens en forme de triangle. Consacrer le cierge blanc, l'allumer et le placer devant l'ange, avec le parfum découvert.*

*Vous devez être détendu et vous concentrer sur votre respiration. Visualisez votre ange et remerciez-le pour toute la santé que vous avez et que vous aurez toujours, cette gratitude doit venir du fond de votre cœur.*

*Après avoir remercié, vous lui donnez en offrande la poignée de riz et la poignée de céréales, qu'il déposera sur le plateau ou l'assiette blanche.*

*Répandez tous les pétales de rose sur l'autel, en remerciant à nouveau pour les faveurs reçues. Une fois les remerciements terminés, laissez la bougie allumée jusqu'à ce qu'elle soit complètement consumée. La dernière chose à faire est de ramasser* tous les restes de la bougie, de l'encens, du riz et du blé, de les mettre dans un sac en plastique et de le jeter dans un endroit où il y a des arbres, sans le sac.

Placez la carte d'ange et les pétales de rose à l'intérieur de la boîte et conservez-la dans un endroit sûr de votre maison. Le parfum énergisé, utilisez-le lorsque vous ressentez une baisse d'énergie, en visualisant votre ange et en lui demandant sa protection.

## Bain protecteur avant l'opération

Éléments nécessaires :

- Cloche violette

- Eau de coco

- Décortiquer

- Cologne 1800

- Toujours en vie

*- Feuilles de menthe*

*- Feuilles de rue*

*- Feuilles de romarin*

*- Bougie blanche*

*- Huile de lavande*

*Faites bouillir toutes les plantes dans l'eau de coco. Lorsque l'eau refroidit, filtrez-la et ajoutez l'écorce, l'eau de Cologne et l'huile de lavande, puis allumez la bougie à l'extrémité ouest de la baignoire. Versez le mélange dans l'eau du bain. Si vous n'avez pas de bain, versez-le sur vous et ne vous asseyez pas.*

# *Rituels de juillet*

## Juillet 2024

| Dimanche | Lundi | Mardi | Mercredi | Jeudi | Vendredi | Samedi |
|---|---|---|---|---|---|---|
|  | 1 |  |  |  | 5 | 6 Nouvelle lune |
|  | 8 |  | 10 |  |  |  |
|  |  |  |  |  |  | 20 Pleine lune |
| 21 |  | 23 |  | 25 | 26 |  |
|  | 29 | 30 | 31 |  |  |  |

*6 juillet 2024 Nouvelle Lune en Cancer 14°23'.*

*20 juillet 2024 Pleine Lune du Capricorne 29°08'*

## Les meilleurs rituels pour l'argent

*Les 6, 20 et 22 juillet, le Soleil entre dans le Lion.*

### Nettoyer pour obtenir des clients.

Piler dix noisettes décortiquées et un brin de persil dans un mortier et un pilon.

Faire bouillir deux litres d'eau de la Pleine Lune et ajouter les ingrédients hachés. Laisser bouillir pendant dix minutes et filtrer.

Avec cette infusion, vous nettoierez les sols de votre entreprise, de la porte d'entrée à la porte de sortie.

Répétez ce nettoyage tous les lundis et jeudis pendant un mois, idéalement dans la période de la planète Mercure.

## Elle attire l'abondance matérielle. Croissant de lune

C'est nécessaire :

- 1 pièce d'or ou objet en or, sans pierre.

- 1 pièce de monnaie en cuivre

- 1 pièce d'argent

Par une nuit de croissant de lune, avec les pièces en main, rendez-vous à un endroit où les rayons de la lune les illumineront.

Les mains levées, répétez : "Lune, aide-moi à faire en sorte que ma fortune grandisse toujours et que la prospérité soit toujours au rendez-vous".

 Laissez les pièces toucher vos mains.

Rangez-les ensuite dans votre portefeuille. Vous pouvez répéter ce rituel chaque mois.

## Le sortilège permet de créer un bouclier économique pour votre entreprise ou votre commerce.

C'est nécessaire :
- 5 pétales de fleurs jaunes
- Graines de tournesol
- Écorce de citron séchée au soleil
- Farine de blé
- 3 pièces par jour

Piler les fleurs jaunes et les graines de tournesol dans un mortier et un pilon, puis ajouter le zeste de citron et la farine de blé.

Mélangez bien les ingrédients et conservez-les avec les trois pièces dans un bocal hermétique.

Cette préparation doit être utilisée tous les matins avant de quitter le domicile.

Placez d'abord les cinq doigts de votre main gauche, puis les cinq doigts de votre main droite dans le pot, puis frottez-les ensemble avec vos paumes.

## Les meilleurs rituels pour l'amour

*N'importe quel jour de juillet.*

### Sort de l'argent exprimé.

*Ce sort est plus efficace s'il est lancé un jeudi.*

*Remplir un bol en verre avec du riz.*

*Allumez ensuite une bougie verte (que vous aurez préalablement consacrée) et placez-la au centre de la fontaine.*

*Allumez l'encens de cannelle et faites six fois le tour de la fontaine avec sa fumée dans le sens des aiguilles d'une montre.*

*Ce faisant, répétez mentalement : "J'ouvre mon esprit et mon cœur à la richesse".*

*L'abondance vient à moi maintenant et tout va bien.*

*L'univers rayonne de richesse dans ma vie en ce moment. Les restes peuvent être jetés à la poubelle.*

## *Salle de bain pour attirer les gains économiques*

*C'est nécessaire :*

*- 1 plante de rue*

*- Eau florale*

*- 5 fleurs jaunes*

*- 5 cuillères à soupe de miel*

*- 5 bâtons de cannelle*

*- 5 gouttes d'essence de santal*

*- 1 bâton d'encens de santal*

*Le premier jour du croissant de lune, à un moment propice à la prospérité, faites bouillir tous les ingrédients pendant cinq minutes, à l'exception de l'Agua Florida et de l'encens. Répartissez ce bain car vous devez le faire pendant cinq jours. Ce qui n'est pas utilisé doit être conservé au froid. Ajoutez un peu d'Agua Florida à la préparation et allumez l'encens. Prenez le bain et rincez-vous comme d'habitude. Faites couler lentement la préparation du cou* jusqu'aux pieds. Procédez ainsi pendant cinq jours consécutifs.

## Les meilleurs rituels pour la santé

N'importe quel jour de juillet.

## Épeler la douleur chronique.

Éléments nécessaires :

   -1 bougie dorée

   -1 bougie blanche

   -1 bougie verte

   -1 Tourmaline noire

   -1 photo de soi ou d'un objet personnel

   -1 verre de moonshine

-Photo d'une personne    ou d'un    objet

*Disposez les 3 bougies en forme de triangle et placez la photo ou l'objet personnel au centre. Placez le verre d'alcool de contrebande sur la photo et versez la tourmaline à l'intérieur. Allumez ensuite les bougies et répétez l'incantation suivante : "J'allume cette bougie pour obtenir ma guérison, en invoquant mes feux intérieurs et les salamandres et ondines protectrices pour transmettre cette douleur et ce malaise dans l'énergie curative de la santé et du bien-être". Répétez cette prière trois fois. Une fois la prière terminée, prenez le verre, retirez la tourmaline et versez l'eau dans une canalisation de la maison, éteignez les bougies avec vos doigts et gardez-les pour répéter ce sort jusqu'à ce que vous soyez complètement rétabli. La tourmaline peut être utilisée comme amulette de santé.*

## *Sort d'amélioration instantanée*

*Prenez une bougie blanche, une verte et une jaune. Consacrez-les (de la base à la mèche) avec de l'essence de pin et placez-les sur une table avec une nappe bleue, en forme de triangle. Au centre, placez un petit récipient en verre contenant de l'alcool et une petite améthyste. A la base du récipient, une feuille de papier avec le nom de la personne malade ou une photo avec son nom et prénom au dos et sa date de naissance. Allumez les trois bougies et laissez-les brûler jusqu'à ce qu'elles soient complètement consumées. Tout en accomplissant ce rituel, visualisez la personne en parfaite santé.*

# *Rituels pour le mois d'août*

**Août 2024**

| Dimanche | Lundi | Mardi | Mercredi | Jeudi | Vendredi | Samedi |
|---|---|---|---|---|---|---|
| | | | | 1 | | |
| 4 Nouvelle lune | 5 | | | 8 | | 10 |
| | | | | | | |
| 18 Pleine lune | | | 21 | | 23 | |
| 25 | 26 | | | 29 | 30 | 31 |

*4 août 2024 Nouvelle Lune Lion 12°33'*

*18 août 2024 Pleine Lune Verseau 27°14'.*

## Les meilleurs rituels pour l'argent
*4,5 août 2024*

### Miroir magique pour l'argent. Pleine lune

*Prenez un miroir de 40 à 50 cm de diamètre et peignez le cadre en noir. Lavez le miroir avec de l'eau bénite et recouvrez-le d'un tissu noir.*

*La première nuit de la pleine lune, exposez-le aux rayons de la lune de façon que vous puissiez voir le disque lunaire entier dans le miroir. Demandez à la lune de consacrer ce miroir pour qu'il illumine vos souhaits.*

*La nuit de la prochaine Pleine Lune, dessinez sept fois le symbole de l'argent avec un crayon à lèvres ($$$$$$$).*

*Fermez les yeux et visualisez-vous avec toute l'abondance matérielle que vous désirez. Laissez les symboles dessinés jusqu'au lendemain matin.*

*Nettoyez ensuite le miroir avec de l'eau bénite jusqu'à ce qu'il ne reste plus aucune trace du vernis utilisé. Conservez le miroir dans un endroit où personne ne peut le toucher.*

*Pour répéter le sort, il faut recharger l'énergie du miroir trois fois par an à l'occasion de la pleine lune.*

*Si vous le faites à un moment planétaire lié à la prospérité, vous ajouterez une énergie suprême à votre intention.*

### *Rituel pour accélérer les ventes. Nouvelle Lune*

*C'est une recette efficace pour protéger l'argent, multiplier les ventes de votre entreprise et restaurer énergétiquement le lieu.*

*C'est nécessaire :*

*-1 bougie verte*
*-1 pièce*
*- Sel de mer*
*-1 pincée de piment*

*Ce rituel doit être effectué le jeudi ou le dimanche, à l'heure de la planète Jupiter ou du Soleil.*

*Aucune autre personne ne doit se trouver dans les locaux de l'entreprise.*

*Allumez la bougie et placez la pièce, une poignée de sel et une pincée de poivre autour d'elle en forme de triangle.*

*Il faut impérativement placer le piment à droite et la poignée de sel à gauche. La pièce de monnaie doit se trouver au sommet de la pyramide.*

*Placez-vous devant la bougie pendant quelques minutes et visualisez tout ce que vous désirez en termes de prospérité.*

*Les restes peuvent être jetés, les pièces de monnaie sont conservées sur le lieu de travail à des fins de protection.*

**Les meilleurs rituels pour l'amour**
*Tous les vendredis, le jour de Vénus.*

**Les meilleurs rituels pour l'amour**

*7, 14, 21, 28, 31 juillet.*

## *Sort pour que quelqu'un pense à vous*

Prenez un petit miroir que les femmes utilisent pour se maquiller et placez une photo de vous derrière le miroir.

Prenez ensuite une photographie de la personne à laquelle vous voulez penser et placez-la face cachée devant le miroir (de manière que les deux photographies se fassent face, le miroir étant placé au milieu).

Enveloppez le miroir d'un morceau de tissu rouge et attachez-le avec une ficelle rouge pour qu'il soit bien fixé et que les images ne puissent pas bouger.

Il doit être placé sous le lit, bien caché.

## *Sort qui vous transforme en aimant*

Pour avoir une aura magnétique et attirer les femmes ou les hommes, il faut faire un sac jaune avec le cœur d'une colombe blanche et les yeux d'un TARTUGA en poudre.

Si vous êtes un homme, ce sac doit être transporté dans votre poche droite.

Les femmes porteront le même sac, mais à l'intérieur du soutien-gorge, sur le côté gauche.

## *Les meilleurs rituels pour la santé*

Le 23 août, le soleil entre dans la Vierge.

## *Bain rituel aux herbes amères*

Ce rituel est utilisé lorsque la personne a été ensorcelée à un point tel que sa vie est en danger.

Éléments nécessaires :
- 7 Feuilles de myrte
- Jus de grenade
- Lait de chèvre
- Sel de mer
- L'eau sacrée
- Décortiquer
- 8 Feuilles de la plante brise-muraille

Verser le lait de chèvre dans un grand récipient, ajouter le jus de grenade, l'eau bénite, les plantes, le sel de mer et la décortiquer.

Laissez cette préparation devant une bougie blanche pendant trois heures, puis versez-la sur votre tête. Dormez ainsi et rincez le lendemain.

# *Rituels pour le mois de septembre*

**Septembre 2024**

| Dimanche | Lundi | Mardi | Mercredi | Jeudi | Vendredi | Samedi |
|---|---|---|---|---|---|---|
| 1 | | 3 Nouvelle lune | | 5 | | |
| 8 | 9 | 10 | | | | |
| | | 17 Pleine lune | 18 | | | 21 |
| | 23 | | 25 | 26 | | |
| 29 | 30 | | | | | |

*3 septembre 2024 Nouvelle Lune en Vierge 11°03'.*

*17 septembre 2024 Pleine Lune et éclipse partielle des Poissons*
        *25°40'*

## *Les meilleurs rituels pour l'argent*

### *3,13,20 septembre 2024*

### *Rituel pour gagner de l'argent en trois jours*

*Procurez-vous cinq bâtons de cannelle, une écorce d'orange séchée, un litre d'eau de pleine lune et une bougie en argent. Faites bouillir la cannelle et l'écorce d'orange dans l'eau de pleine lune. Une fois refroidis, placez-les dans un flacon pulvérisateur. Allumez la bougie dans la partie nord du salon et vaporisez le liquide dans toutes les pièces. Pendant ce temps, répétez dans votre esprit : "Les guides spirituels protègent ma maison et me permettent de recevoir immédiatement l'argent dont j'ai besoin.*

*Lorsque vous avez terminé, laissez la bougie allumée.*

## L'argent avec l'éléphant blanc

Achetez un éléphant blanc avec le tronc relevé.

Placez-la à l'intérieur de la maison ou de l'entreprise, jamais devant les portes.

Le premier jour de chaque mois, placez un billet de banque de la plus petite valeur dans la trompe de l'éléphant, pliez-le en deux dans le sens de la longueur et répétez : "Que ceci soit le double de 100" ; puis pliez-le à nouveau dans le sens de la largeur et répétez : "Que ceci soit multiplié par mille".

Déroulez la carte et laissez-la dans la trompe de l'éléphant jusqu'au mois suivant.

Répétez le rituel en changeant les notes.

## *Rituel pour gagner à la loterie.*

*C'est nécessaire :*
*- 2 bougies vertes*
*- 12 pièces (représentant les douze mois de l'année)*
*- 1 mandarine*
*- Bâtons de cannelle*
*- Pétales de deux roses rouges*
*-1 bocal en verre à large ouverture avec couvercle*
*-1 ancien billet de loterie*
*- Eau de la pleine lune*


*Placez la mandarine dans le bocal, le billet de loterie, les pièces de monnaie, les pétales et la cannelle autour, couvrez avec de l'alcool de contrebande et mettez le couvercle. Placez la bougie dans le couvercle du bocal et allumez-la. Le lendemain, remplacez la bougie par une nouvelle et, le troisième jour, découvrez le bocal et jetez tout sauf les pièces de monnaie, qui serviront d'amulette. Gardez-en une dans votre portefeuille et laissez les onze autres à la maison. À la fin de l'année, vous devrez dépenser les pièces.*

## Les meilleurs rituels pour l'amour
*Chaque vendredi de septembre 2024*

### Rituel pour éliminer les litiges

*Inscrivez votre nom et celui de votre partenaire sur une feuille de papier. Placez-la sous une pyramide de quartz rose et répétez mentalement : "Je (votre nom) suis en paix et en harmonie avec mon partenaire (le nom de votre partenaire), l'amour nous entoure maintenant et toujours".*

*Cette pyramide avec les noms doit être conservée dans la zone d'amour de votre maison. Le coin inférieur droit de la porte d'entrée est la zone des couples, de l'amour, du mariage ou des relations.*

## *Rituel d'amour*

Pendant cinq jours et à la même heure, formez une pyramide sur le sol avec des pétales de roses rouges. Écrivez le nom de la personne dont vous voulez tomber amoureux sur une bougie verte, allumez-la et placez-la au centre de la pyramide, au-dessus du pentagramme de Vénus numéro 3.

Asseyez-vous devant cette pyramide et répétez mentalement : "J'invoque toutes les forces élémentaires de l'univers pour que (nom de la personne) me rende mon amour". Une fois ce temps écoulé, jetez les restes des bougies dans le panier et brûlez le pentagramme.

## Pentacle n°3 Vénus.

### Les meilleurs rituels pour la santé

*N'importe quel jour de septembre. De préférence les lundis et vendredis.*

### Bain thérapeutique

### Éléments nécessaires :

- *Aubergine*

- *Plante de Ruda*
- *L'esprit*
- *Décortiquer*
- *Eau de Floride*
- *Eau de pluie*
- *Bougie verte (plus efficace si elle est en forme de pyramide)*

*Ce bain est plus efficace s'il est effectué un dimanche, à l'heure du Soleil ou de Jupiter. Coupez* l'aubergine en morceaux et mettez-la dans une grande casserole.

Faire bouillir la sauge et la rue dans de l'eau de pluie. Filtrer le liquide sur les morceaux d'aubergine, ajouter l'Aguaflorida, le brandy et la décortiquer et allumer la bougie. Versez le mélange dans l'eau du bain. Si vous n'avez pas de baignoire, versez le mélange sur la baignoire et laissez sécher à l'air libre, c'est-à-dire sans utiliser de serviette.

### Bain protecteur avant l'intervention chirurgicale

### Éléments nécessaires :

- Cloche violette
- Eau de coco
- Décortiquer
- Cologne 1800
- Toujours en vie
- Feuilles de menthe
- Feuilles de rue

*- Feuilles de romarin*
*- Bougie blanche*
*- Huile de lavande*

*Ce bain est plus efficace s'il est pris un jeudi, au moment de la Lune ou de Mars.*

*Faites bouillir toutes les plantes dans l'eau de coco, quand elle refroidit, filtrez-la et ajoutez le coquillage, l'eau de Cologne et l'huile de lavande et allumez la bougie dans la partie ouest du bain.*

*Versez le mélange dans l'eau du bain. Si vous n'avez pas de baignoire, versez-le sur vous et ne vous séchez pas.*

## *Rituels pour le mois d'octobre*

**Octobre 2024**

| Dimanche | Lundi | Mardi | Mercredi | Jeudi | Vendredi | Samedi |
|---|---|---|---|---|---|---|
|  |  | 1 | 2 Nouvelle lune |  |  | 5 |
|  |  | 8 |  | 10 |  |  |
|  |  |  | 16 Pleine lune |  |  |  |
|  | 21 |  | 23 |  | 25 | 26 |
|  |  | 29 | 30 | 31 |  |  |

*2 octobre 2024 Eclipse solaire annulaire en Balance et Nouvelle Lune à 10°02'.*

*16 octobre 2024 Pleine Lune 24°34' Bélier*

## Les meilleurs rituels pour l'argent
2, 17, 31 octobre 2024.

**Le sucre et l'eau de mer sont des remèdes pour la prospérité.**

C'est nécessaire :
- Eau de mer
- 3 cuillères à soupe de sucre
- 1 verre en cristal bleu

Remplir la coupe d'eau de mer et de sucre, la laisser à l'air libre la première nuit de la pleine lune et la retirer à 6 heures du matin.

Ouvrez ensuite les portes de votre maison et commencez à vaporiser de l'eau sucrée de l'entrée vers l'arrière, à l'aide d'un vaporisateur ; ce faisant, répétez dans votre esprit : "J'attire dans ma vie toute la prospérité et la richesse que l'univers sait que je mérite, merci, merci".

## *La cannelle*

Il est utilisé pour purifier le corps. Dans certaines cultures, on lui prête le pouvoir de favoriser l'immortalité. D'un point de vue magique, la cannelle est liée au pouvoir de la lune en raison de sa tendance féminine.

## **Rituel pour attirer l'argent instantanément.**

C'est nécessaire :
- 5 bâtons de cannelle
- 1 écorce d'orange séchée
- 1 litre d'eau bénite
- 1 bougie verte

Porter à ébullition la cannelle, l'écorce d'orange et 1 litre d'eau, puis laisser reposer le mélange jusqu'à ce qu'il refroidisse. Verser le liquide dans un flacon pulvérisateur.

Allumez la bougie dans la partie nord du salon de votre maison et dispersez-la dans toutes les pièces en répétant : "Ange de l'abondance, j'invoque ta présence dans cette maison pour que nous ne manquions de rien et que nous ayons toujours plus que ce dont nous avons besoin.

Lorsque vous avez terminé, dites la prière trois fois et laissez la bougie allumée.

Vous pouvez le faire un dimanche ou un jeudi, à l'heure de la planète Vénus ou Jupiter.


### Les meilleurs rituels pour l'amour
N'importe quel jour d'octobre 2024.

## *Sortilège pour oublier un ancien amour*

*C'est nécessaire :*
*- 3 bougies jaunes en forme de pyramide*
*- Sel de mer*
*- Vinaigre blanc*
*- Huile d'olive*
*- Papier jaune*
*- 1 sachet noir*

*Ce rituel est plus efficace lorsqu'il est effectué pendant la phase de lune décroissante.*

*Inscrivez le nom de la personne que vous voulez éliminer de votre vie au centre de la feuille huilée.*

*Les bougies sont ensuite placées sur le dessus en forme de pyramide.*

*Ce faisant, répétez dans votre esprit : "Mon ange gardien veille sur ma vie, c'est mon souhait et il se réalisera".*

*Lorsque les bougies sont épuisées, enveloppez tous les restes dans le même papier et saupoudrez-les de vinaigre.*

*Mettez-le ensuite dans le sac noir et jetez-le dans un endroit éloigné de la maison, de préférence en présence d'arbres.*

## Sort pour attirer l'âme sœur

*C'est nécessaire :*
- *Feuilles de romarin*
- *Feuilles de persil*
- *Feuilles de basilic*
- *Conteneur métallique*
- *1 bougie rouge en forme de cœur*
- *Huile essentielle de cannelle*
- *1 cœur dessiné sur du papier rouge*
- *Alcool*
- *Huile de lavande*

*Il faut d'abord consacrer la bougie avec de l'huile de cannelle, puis l'allumer et la placer à côté du récipient en métal. Mélangez toutes les plantes dans le récipient. Écrivez sur le cœur en papier toutes les caractéristiques de la personne que vous voulez dans votre vie, en notant les détails. Mettez cinq gouttes d'huile de lavande sur le papier et placez-le à l'intérieur du récipient. Arrosez-le d'alcool et mettez-y le feu. Tous les restes doivent être dispersés sur la plage pendant que vous vous concentrez et demandez que cette personne entre dans votre vie.*

## *Rituel pour attirer l'amour*

*Il est nécessaire*
*- Huile de rose*
*- 1 quartz rose*
*- 1 pomme*
*- 1 rose rouge dans un petit vase*
*- 1 rose blanche dans un petit vase*
*- 1 long ruban rouge*
*- 1 bougie rouge*

*Pour une efficacité maximale, ce rituel doit être effectué le vendredi ou le dimanche, à l'heure des planètes Vénus ou Jupiter.*

*Il est nécessaire de consacrer la bougie avant de commencer le rituel à l'huile de rose. Allumez la bougie. Coupez la pomme en deux morceaux et placez-en un dans le vase de roses rouges et l'autre dans le vase de roses blanches. Attachez le ruban rouge autour des deux vases. Laissez-les à côté de la bougie toute la nuit jusqu'à ce que la bougie soit éteinte. Pendant ce temps, répétez dans votre esprit : "Que la personne destinée à me rendre heureux se présente sur mon chemin, je l'accueille et je l'accepte". Lorsque les roses sont sèches, enterrez-les avec les moitiés de pommes dans votre jardin ou dans un vase avec du quartz rose.*

### Les meilleurs rituels pour la santé
*Tous les dimanches d'octobre 2024*

## *Rituel vitalité*

*Faites tremper une pyramide en aluminium dans un seau d'eau pendant 24 heures. Le lendemain, après votre douche habituelle, l'avez-vous avec cette eau. Vous pouvez effectuer ce rituel une fois par semaine.*

# *Rituels pour le mois de novembre*

**Novembre 2024**

| Dimanche | Lundi | Mardi | Mercredi | Jeudi | Vendredi | Samedi |
|---|---|---|---|---|---|---|
| | | | | | 1 <br><br> Nouvelle lune | |
| | | 5 | | | 8 | |
| 10 | | | | | 15 <br> Pleine lune | |
| | | | | 21 | | 23 |
| | 25 | 26 | | | 29 | 30 <br><br> Nouvelle lune |

*1er novembre 2024 Nouvelle Lune du Scorpion 9°34*

*15 novembre 2024 Pleine Lune Taureau 24°00'*

*30 novembre 2024 Nouvelle Lune Sagittaire 9°32'*

## *Les meilleurs rituels pour gagner de l'argent*

*1,15,30 novembre 2024*

### *Gagner de l'argent avec la pierre*

*C'est nécessaire :*

*- Eau bénite*

*- 7 pièces de n'importent quelle dénomination*

*- 7 pierres de pyrite*

*- 1 bougie verte*

*- 1 cuillère à café de cannelle*

*- 1 cuillère à café de sel marin*

*- 1 cuillère à café de sucre roux*

*- 1 cuillère à café de riz*

*Ce rituel doit être accompli à la lumière de la pleine lune, c'est-à-dire en plein air.*

*Verser l'eau et la terre dans un bol pour obtenir une pâte épaisse. Ajoutez les cuillères à café de sel, le sucre, le riz et la cannelle au mélange et placez les 7 pièces de monnaie et les 7 pyrites à différents endroits au milieu de la pâte. Mélangez la pâte uniformément et lissez-la à l'aide d'une cuillère. Laissez sécher le récipient à la lumière de la pleine lune pendant la nuit et une partie de la journée suivante au soleil. Une fois sec, emportez-le dans la maison et placez-y la bougie verte allumée. N'essuyez pas les résidus de cire sur cette pierre. Placez-la dans la cuisine, le plus près possible d'une fenêtre.*

## Les meilleurs rituels pour l'amour
*Tous les vendredis et lundis de novembre.*

### Le miroir magique de l'amour

*Prenez un miroir de 40 à 50 cm de diamètre et peignez le cadre en noir. Lavez le miroir avec de l'eau bénite et recouvrez-le d'un tissu noir. La première nuit de la pleine lune, laissez le miroir exposé à ses rayons afin de pouvoir y voir l'ensemble du disque lunaire.*

*Demandez à la Lune de consacrer ce miroir pour qu'il illumine vos désirs.*

*La nuit suivant la Pleine Lune, écrivez au crayon tout ce que vous voulez en matière d'amour. Précisez comment vous voulez que votre partenaire soit à tous égards. Fermez les yeux et visualisez-vous heureux et ensemble avec elle. Laissez les mots écrits jusqu'au lendemain matin.*

*Nettoyez ensuite le miroir avec de l'eau bénite jusqu'à ce qu'il n'y ait plus de traces du vernis utilisé. Rangez le miroir dans un endroit où personne ne peut le toucher.*

*Pour pouvoir répéter ce sort, il faut recharger le miroir trois fois par an avec l'énergie des pleines lunes. Si vous le faites pendant une période planétaire en rapport avec l'amour, vous ajouterez un pouvoir suprême à votre intention.*

### Sort pour augmenter la passion

*C'est nécessaire :*
*- 1 feuille de papier vert*
*- 1 pomme verte*

*- Fil rouge*
*- 1 couteau*

*Ce rituel doit être accompli un vendredi, à l'heure de la planète Vénus.*

*Écrivez le nom de votre partenaire et le vôtre sur le papier vert et dessinez un cœur autour.*

*Couper la pomme en deux à l'aide d'un couteau et placer le papier entre les deux moitiés.*

*Reliez ensuite les deux moitiés avec du fil rouge et faites cinq nœuds.*

*Vous prenez une bouchée de la pomme et l'avalez.*

*À minuit, les restes de la pomme sont enterrés le plus près possible de la maison du partenaire ou, si vous vivez ensemble, dans son jardin.*

**Les meilleurs rituels pour la santé**
*Tous les jeudis de novembre 2024*

### *Rituel pour éliminer la douleur*

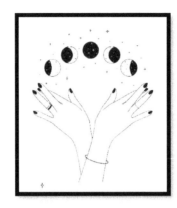

*Allongez-vous sur le dos, la tête au nord, et placez une pyramide jaune sur votre bas-ventre pendant dix minutes : les maladies disparaîtront.*

### *Rituel de relaxation*

*Prenez une pyramide violette et allongez-vous sur le dos, les yeux fermés, gardez l'esprit vide et respirez*

doucement. À ce stade, vous sentirez vos bras, vos jambes et votre poitrine s'engourdir.

Ensuite, vous vous sentirez plus lourd, ce qui signifie que vous êtes totalement détendu ; ce rituel génère la paix et l'harmonie.

## Rituel pour une vieillesse en bonne santé

Prenez un gros œuf et colorez-le en or.

Lorsque la peinture est sèche, placez-la à l'intérieur d'un cercle que vous ferez avec 7 bougies (1 rouge, 1 jaune, 1 verte, 1 rose, 1 bleue, 1 violette, 1 blanche). Asseyez-vous devant le cercle, la tête couverte d'un foulard blanc, et allumez les bougies dans le sens des aiguilles d'une montre. Répétez les phrases suivantes pendant que vous allumez les bougies :

Je suis en train de devenir la meilleure version de moi-même.

Mes possibilités sont infinies.

*J'ai la liberté et le pouvoir de créer la vie que je veux.*

*Je choisis d'être gentil avec moi-même et de m'aimer inconditionnellement.*

*Je fais ce que je peux, et c'est suffisant.*

*Chaque jour est une occasion de recommencer.*

*Où que je sois dans mon voyage, c'est ma place.*

*Laissez les bougies s'éteindre.*

*Il faut ensuite enterrer l'œuf dans un pot d'argile et le remplir de sable, en le laissant exposé au soleil et à la lumière de la lune pendant trois jours et trois nuits consécutifs.*

*Vous garderez cette jarre chez vous pendant trois ans, après quoi vous déterrerez l'œuf, briserez la coquille et laisserez ce que vous trouverez à l'intérieur comme amulette protectrice.*

## Sort pour guérir les personnes gravement malades

Le diagnostic du médecin et une photographie actuelle de la personne sont placés dans un récipient en métal. Placez deux bougies vertes de part et d'autre du récipient et allumez-les.

Brûlez le contenu du récipient et, pendant qu'il brûle, ajoutez les cheveux de la personne.

S'il n'y a que des cendres, il faut les mettre dans une enveloppe verte et le patient doit dormir avec cette enveloppe sous l'oreiller pendant 17 jours.

## *Rituels de décembre*

**Décembre 2024**

| Dimanche | Lundi | Mardi | Mercredi | Jeudi | Vendredi | Samedi |
|---|---|---|---|---|---|---|
| 1 | | | | 5 | | |
| 8 | | 10 | | | | 14 ○ Pleine lune |
| | | | 18 | | | 21 |
| | 23 | | 25 | 26 | | |
| 29 | 30 Nouvelle lune | 31 | | | | |

*15 décembre 2024 Pleine Lune des Gémeaux 23°52' Pleine Lune des Gémeaux*

*30 décembre 2024 Nouvelle Lune en Capricorne 9°43*

## Les meilleurs rituels pour l'argent

### 14, 20 et 30 décembre 2024

#### Rituel hindou pour attirer l'argent.

Les jours idéaux pour ce rituel sont le jeudi ou le dimanche, à l'heure de la planète Vénus, Jupiter ou du Soleil.

C'est nécessaire :
- Huile essentielle de rue ou de basilic
- 1 pièce d'or
- 1 nouveau portefeuille ou sac à main
- 1 épi de blé
- 5 pyrites

Il est nécessaire de consacrer la pièce d'or en l'oignant d'huile de basilic ou de rue et en la dédiant à Jupiter. Tout en l'oignant, répéter mentalement :

"Je veux que vous saturiez cette monnaie de votre énergie, afin que l'abondance économique puisse entrer dans ma vie".

Versez ensuite de l'huile sur l'épi de maïs et offrez-le à Jupiter, en lui demandant de ne pas laisser votre maison manquer de nourriture. Prenez la pièce, ainsi que les cinq pyrites, et placez-les dans un nouveau porte-monnaie, que vous enterrerez sur le côté gauche de la façade de votre maison. L'épi sera stocké dans la cuisine.

## Argent et abondance pour tous les membres de la famille.

C'est nécessaire :
- 4 pots en terre cuite
- 4 pentacles de Jupiter #7 (vous pouvez les imprimer)

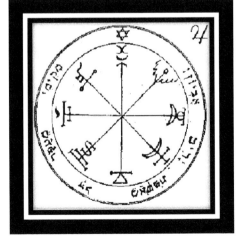

## *Pentacle de Jupiter n° 7.*

*- Mel*
*- 4 agrumes*

*Le vendredi, à l'heure de la planète Jupiter, écrivez les noms de toutes les personnes vivant dans votre maison au dos du septième pentagramme de Jupiter.*

*Placez ensuite chaque morceau de papier dans les pots d'argile avec les agrumes et versez le miel dessus. Placez les pots aux quatre points cardinaux de votre maison. Laissez-les là pendant un mois. À la fin de cette période, jetez le miel et les pentacles, mais gardez les citrines dans le salon.*

### *Les meilleurs rituels quotidiens pour l'amour*
*Vendredi et dimanche, décembre 2024*

## Rituel pour transformer l'amitié en amour

Ce rituel est le plus puissant lorsqu'il est effectué le mardi à l'heure de Vénus.

C'est nécessaire :

- 1 photo en pied de votre proche
- 1 petit miroir
- 7 de vos cheveux
- 7 gouttes de votre sang
- 1 bougie pyramidale rouge
- 1 sachet d'or

Versez les gouttes de sang sur le miroir, placez vos cheveux dessus et attendez qu'elles sèchent. Placez la photo sur le miroir (lorsque le sang est sec).

Allumez la bougie et placez-la à droite du miroir, concentrez-vous et répétez :

"Nous sommes unis pour toujours par le pouvoir de mon sang et le pouvoir de (nom de la personne que vous aimez) l'amour que je ressens pour vous. L'amitié se termine, mais l'amour éternel commence".

Lorsque la bougie est consumée, mettez le tout dans le sac d'or et jetez-le à la mer.

## Sort d'amour germanique

Ce sort est plus efficace s'il est lancé pendant la phase de pleine lune à 23h59.

C'est nécessaire :
- 1 photo de la personne aimée
- 1 photo de vous
- 1 cœur de colombe blanche
- 13 pétales de tournesol
- 3 épingles
- 1 bougie rose
- 1 bougie bleue
- 1 nouvelle aiguille à coudre
- Sucre roux
- Cannelle en poudre
- 1 table

Disposez les photos sur la table, placez le cœur sur le dessus et enfilez les trois épingles. Entourez-les de pétales de tournesol, placez la bougie rose à gauche et *la bougie bleue à droite et allumez-les dans le même ordre.*

*Piquez l'index de la main gauche et laissez tomber trois gouttes de sang sur le cœur. Lorsque le sang tombe, répétez trois fois : "Par la puissance du sang, tu (nom de la personne) m'appartiens".*

*Lorsque les bougies sont épuisées, enterrez-les et, avant de refermer le trou, ajoutez de la cannelle en poudre et de la cassonade.*

### *Sort de vengeance*

*C'est nécessaire :*
*- 1 pierre de rivière*
*- Poivre rouge*
*- Photos de la personne qui vous a volé votre amour*
*- 1 pot*
*- Concession de cimetière*
*- 1 bougie noire*

*L'incantation suivante doit être inscrite au dos de la photographie : "Par le pouvoir de la vengeance, je promets que tu me rembourseras et que tu ne blesseras plus jamais personne, tu es effacé".*

*(Nom de la personne)".*

*Placez ensuite la photo de la personne au fond du pot et placez la pierre sur le dessus, puis versez la terre du cimetière et le poivre rouge, dans cet ordre.*

*Allumez la bougie noire et répétez la même incantation derrière la photographie. Lorsque la bougie se consume, jetez-la à la poubelle et laissez le pot dans un endroit qui est une montagne.*

## Les meilleurs rituels pour la santé

*Un jeudi de décembre 2024*

### Grille de santé cristalline

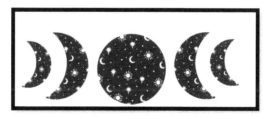

*La première étape consiste à déterminer l'objectif que vous souhaitez exprimer. Écrivez sur une feuille de papier vos souhaits en matière de santé, toujours au*

présent et sans le mot **NON.**  Un exemple pourrait être : "J'ai une santé parfaite".


### Éléments nécessaires.

- 1 grand quartz améthyste (le point central)
- 4 Lari mar.
- 4 petits quartz cornaline
- 6 quartz œil de tigre
- 4 agrumes
- 1 Figure géométrique de la fleur de vie
- 1 point de quartz blanc pour activer le gril

*Fleur de vie.*

Ces pierres de quartz doivent être nettoyées avant le rituel pour les purifier des énergies qu'elles ont pu absorber avant d'arriver entre vos mains ; le sel de mer est la meilleure option.  Laissez-les dans le sel marin pendant une nuit.  Lorsque vous les retirez, vous pouvez *également allumer un Palo sacré et fumer pour renforcer le processus de purification.*

*Les diagrammes géométriques nous aident à mieux visualiser comment les énergies se connectent entre les nœuds ; les nœuds sont les points décisifs de la géométrie, ce sont les positions stratégiques où les cristaux sont placés pour que leurs énergies interagissent les unes avec les autres, créant des courants d'énergie à haute vibration (comme un circuit) que nous pouvons détourner vers notre intention.*

*Trouvez un endroit calme, car lorsque nous travaillons avec les toiles de cristal, nous travaillons avec les énergies universelles.*

*Prenez les pierres, une à une, et placez-les dans votre main gauche, que vous tenez en forme de bol, recouvrez-la de votre main droite et répétez à haute voix les noms des symboles Reiki : Cho Ku Rei, Sei He Ki, Hon Sha Ze Sho Nen et Dai Ko Mio, trois fois chacun.*
*Cette opération a pour but de dynamiser les pierres.*

*Pliez le papier et placez-le au centre de la grille. Placez le grand quartz améthyste sur le dessus, cette pierre au centre est le point focal, les autres sont placées comme dans l'\*exemple.*

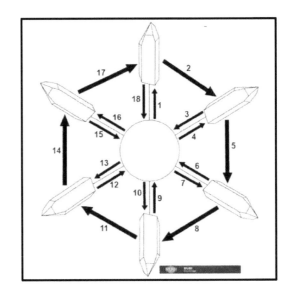

Vous les reliez avec la pointe de quartz, en partant du foyer circulaire dans le sens des aiguilles d'une montre.

Une fois la grille mise en place, laissez-la dans un endroit où personne ne peut la toucher. De temps en temps, vous devrez la rallumer, c'est-à-dire l'activer avec la pointe de quartz, en visualisant dans votre esprit ce que vous avez écrit sur le papier.

## *A propos de l'auteur*

*Outre ses connaissances astrologiques, Alina A. Rubi possède une riche expérience professionnelle. Rubi possède une riche expérience professionnelle ; elle est certifiée en psychologie, hypnose, reiki, guérison bioénergétique avec des cristaux, guérison angélique, interprétation des rêves et est formatrice spirituelle. Rubi a des connaissances en gemmologie, qu'elle utilise pour programmer des pierres ou des minéraux en amulettes puissantes ou en talismans protecteurs.*

*Rubi a une nature pratique et orientée vers les résultats, ce qui lui a donné une vision spéciale et intégrative des différents mondes, facilitant la recherche de solutions à des problèmes spécifiques. Alina rédige des horoscopes mensuels pour le site web de l'Association américaine des astrologues, qui peuvent être consultés à l'adresse www.astrologers.com. Elle tient actuellement une chronique hebdomadaire dans le journal El Nuevo Herald sur des sujets spirituels, publiée tous les dimanches en format numérique et les lundis en format papier. Il présente également un programme hebdomadaire et un horoscope sur la chaîne YouTube du journal. Son annuaire astrologique est publié chaque année dans le journal Diario las Américas, avec la rubrique Rubi Astrologa.*

*Rubi a écrit plusieurs articles sur l'astrologie pour la publication mensuelle "Today's Astrologer" et a donné des cours sur l'astrologie, le tarot, la lecture des lignes de la main, la guérison par les cristaux et l'ésotérisme. Elle diffuse des vidéos hebdomadaires sur des sujets ésotériques sur sa chaîne YouTube : Rubi Astrologer. Elle a eu sa propre émission d'astrologie diffusée quotidiennement sur Flamingo T.V., a été interviewée par divers programmes de télévision et de radio et publie chaque année son "Annuaire astrologique" avec l'horoscope signe par signe et d'autres sujets mystiques intéressants.*

*Elle est l'auteur des livres "Du riz et des haricots pour l'âme » Part I, II et III, une collection d'articles ésotériques publiés en anglais, espagnol, français, italien et portugais. Money for Every Pocket", "Love for Every Heart", "Health for Everybody", Astrological Yearbook 2021, Horoscope 2022, Rituals and Spells for Success in 2022, Spells and Secrets 2023, Astrology Lessons, Rituals and Spells 2024 et Chinese Horoscope 2024 sont disponibles en neuf langues: anglais, russe, portugais, chinois, italien, français, espagnol, japonais et allemand.*

*Rubi parle couramment l'anglais et l'espagnol et combine tous ses talents et connaissances dans ses lectures. Elle vit actuellement à Miami, en Floride.*

*Pour plus d'informations, veuillez* **consulter le site** *www.esoterismomagia.com.*

*Angeline A. Rubi est la fille d'Alina Rubi. Elle est l'éditrice de tous les livres. Elle étudie actuellement la psychologie à l'université internationale de Floride. Elle est l'auteur de Des protéines pour votre esprit, un recueil d'articles métaphysiques.*

*Elle s'intéresse aux sujets métaphysiques et ésotériques depuis son enfance et pratique l'astrologie et la Kabbale depuis l'âge de quatre ans. Elle connaît le tarot, le reiki et la gemmologie.*

*Pour de plus amples informations, veuillez la contacter par courrier électronique :* **rubiediciones29@gmail.com**

Milton Keynes UK
Ingram Content Group UK Ltd.
UKHW050658291223
435170UK00012B/421

9 798223 710431